SIOP GWALIA

A Novel for Advanced Welsh Learners
with Vocabulary
and Full Notes on Sentence Patterns

IVOR OWEN

Gwobrwywyd y nofel hon yn Eisteddfod Genedlaethol Cymru, Bangor, 1971, gyda chanmoliaeth uchel gan y beirniad, y Dr. Bobi Jones.

This novel was awarded first prize at the National Eisteddfod of Wales, Bangor, 1971, with high praise from the adjudicator, Dr. Bobi Jones.

Argraffiad cyntaf 1973
Ail argraffiad Medi 2000

ISBN 0 7074 0339 1

Argraffwyd a rhwymwyd gan
WASG GEE, LÔN SWAN, DINBYCH.

TO THE READER

Though this novel is intended for advanced Welsh Learners, it does not attempt to cover the whole range of sentence patterns in the language. Grammatically, the main purpose has been to concentrate on noun and adjective clauses in complex sentences. For that reason, free translations of most clauses are given in the Notes. It is recommended that, if the reader is not well acquainted with these patterns, he should read the Notes carefully before reading the novel. He will then find the novel easier to follow, and consequently, more entertaining.

CYNNWYS

Tud.

1

Y SIOP ROWND Y GORNEL

Tref fach dwy stryd ydy Talfynydd, a'r ddwy stryd yn croesi ei gilydd, ac yn naturiol, enwau'r ddwy stryd ydy Y Stryd Fawr a Stryd Groes. Wrth gwrs, mae strydoedd eraill yn y dref lle mae pobl yn byw, ond yn y ddwy stryd yma mae siopau mawr y dref, ac wrth ei strydoedd siopau mae nabod tref.

Yn Y Stryd Fawr a Stryd Groes mae adeiladau pwysica'r dref hefyd. Dyna i chi Neuadd y Dref — lle pwysig iawn, wrth gwrs — a Nebo, capel y Methodistiaid, ac yn agos iawn at Nebo mae'r hen sinema fach, Y Gwalia. Dydy'r ddau adeilad yma ddim yn tynnu'n groes i'w gilydd achos pan mae un ar agor mae'r llall ar gau.

Mae'n ddiddorol edrych ar yr enwau uwchben y siopau yn y ddwy brif stryd. Siopau teulu ydyn nhw i gyd bron. Dyna siop Jones y Cigydd, siop Price y Groser, siop Rhys y Llyfrau a'r Papurau Newydd, siop Prosser — cigydd arall — a siop fara Thomas a'i Fab, a siop esgidiau Lewis Phillips. Mae'r siopau yma wedi bod yn nwylo'r teuluoedd ers blynyddoedd lawer ac wedi mynd o daid i dad, o dad i fab, ac o fab i ŵyr neu wyres fel roedd yr hen bobl yn marw yn eu tro.

Mae un neu ddau o gwmnïau o'r ochr arall i Glawdd Offa wedi mentro agor siopau yn y dref hefyd, siopau helpwch-eich-hunain fel siopau 'Bountiful' a 'Well-fare'. Doedd yr hen deuluoedd ddim yn hapus o weld y rhain yn dod i'r dref achos roedden nhw'n mynd â'u cwsmeriaid — rhai ohonyn nhw, beth bynnag — a dyna ddiwedd ar eu monopoli nhw ar arian, ac ar fywydau, pobl y dref. Ond roedd y cwsmeriaid yn ddigon hapus achos roedd rhaid i'r hen siopau dynnu eu prisiau i lawr os oedden nhw am gystadlu â'r siopau helpwch-eich-hunain. Ond does neb eto — wel, doedd neb ar ddechrau'r stori yma — wedi mentro agor siop-farchnad fawr, fodern — *supermarket* — yn y dref. Mae lle i siop-farchnad achos dydy'r dref ddim yn dlawd fel llawer o drefi bach eraill yng Nghymru a'r bobl ifanc yn eu gadael nhw i chwilio am waith. Yn y chwarel fawr y tu allan i'r dref roedd y rhan fwya o'r dynion yn ennill eu bara. Mae'r chwarel wedi cau nawr, fel y rhan fwya o chwareli Cymru, ond drwy ymdrechion caled rhai o wŷr pwysig y dref, fe ddaeth dwy ffatri fawr newydd â gwaith i'r hen chwarelwyr.

Dydy Talfynydd ddim yn dlawd o bell ffordd. Mae'r gweithwyr yn ennill mwy o arian yn y ddwy ffatri newydd nag roedden nhw yn y chwarel, a does dim rhaid iddyn nhw weithio mor galed chwaith. Felly, tref fach hapus ydy Talfynydd, tref hapus Gymraeg, a'r siopwyr ydy'r bobl hapusa yn y dref.

Na! Dydw i ddim yn dweud y gwir; dydy pob siopwr ddim yn hapus. Rownd y gornel o Stryd Groes mae siop fach eto, y Siop-Rownd-y-Gornel fel mae pawb yn ei galw hi. Ond nid dyna'r enw uwchben y siop. Yno, mewn llythrennau mawr, mae'r enw DAFYDD WILLIAMS — SIOP PAWB. Mae dwy ffenestr i'r siop, a'r drws yn y canol rhwng y ddwy. Mae popeth yn y ddwy ffenestr yn dwt a thaclus, ond mae eisiau paent ar y gwaith pren yn ddrwg iawn.

Mae'r enw SIOP PAWB yn codi cwestiwn yn eich meddwl, rydw i'n siŵr. Pam SIOP PAWB? Roedd ar Dafydd Williams eisiau rhoi'r enw SIOP PAWB A PHOPETH uwchben y siop, ond doedd dim digon o le. Ond siop 'pawb a phopeth' ydy hi hefyd achos mae Dafydd Williams yn gwerthu popeth yno, o facwn a chig moch i goco a the, o farmalêd i frwshys llawr, o sebon a lard i esgidiau welington ac offer garddio, fel mae'r siopau ym mhentrefi cefn gwlad Cymru.

Ond nid siop 'pawb a phopeth' oedd hi o'r dechrau. O, nage! Siop groser oedd hi ar y dechrau — siop groser iawn yn gwerthu dim ond siwgwr a the, menyn a thabioca a llaeth tun, cyrrens a reis a resins ac ati. Ond doedd gwerthu dim ond bwydydd ddim yn talu. Pam? Roedd y siop allan o'r ffordd rownd y gornel a phawb yn ei phasio hi a mynd ymlaen i siopa yn Stryd Groes neu'r Stryd Fawr. Roedd y siop yn handi iawn pan oedd pobl yn anghofio prynu rhywbeth yn y dydd, neu pan oedd rhywun wedi smocio ei sigaret ola a phob siop arall yn y dref wedi cau. Cnoc ar y drws, ac roedd Dafydd Williams yn siŵr o agor unrhyw awr o'r dydd neu'r nos. Ond doedd y ceiniogau roedd Dafydd Williams yn eu cael fel hyn ddim yn debyg o ennill ffortiwn iddo fe. Na, roedd y siop yn mynd i lawr ac i lawr, a Dafydd Williams, druan, yn gweithio mor galed hefyd yn plastro'r lle â phosteri ac ati i dynnu'r bobl i'r siop i brynu. Ond doedd y bobl ddim yn dod, dim ond pan oedd pob siop arall wedi cau.

Un noson fe ddaeth gwraig i'r siop mewn helbul ofnadwy. Roedd plant yr ysgol yn mynd am drip, ac roedd arni hi eisiau tun samwn a thomatos i wneud brechdan i'w Wil bach fynd ar y trip. Roedd arni hi eisiau crys newydd i Wil bach hefyd, neu fe fyddai rhaid iddi hi olchi a sychu a smwddio un o'i hen grysau cyn y bore. Roedd tun samwn a thomatos gan Dafydd, ond doedd dim crys ganddo i Wil bach nac i neb arall. Roedd Dafydd yn teimlo dros y wraig — roedd e'n gallu ei gweld hi'n mynd adref i'w thŷ, yn slafio dros y twba golchi; doedd dim peiriant golchi dillad ganddi hi, roedd e'n siŵr; ac wedyn yn sychu a smwddio er mwyn i Wil bach gael mynd ar y trip gyda'r plant eraill. Oedd, roedd Dafydd yn teimlo dros y wraig druan.

Fe gaeodd e'r drws ar ôl y wraig ac edrych o gwmpas y siop. Roedd y silffoedd yn llawn o duniau a bocsys o bob math, a bagiau a phacedi o bob math, ond doedd yno ddim un crys . . . dim un crys. A'r munud hwnnw, fe gafodd Dafydd Williams weledigaeth. Ie, gweledigaeth, ac yn ei weledigaeth fe welodd e rai o'r silffoedd yn llawn, nid o duniau a bocsys ac ati, ond o grysau a throwsusau . . . a ffrogiau bach i ferched . . . a rhubanau a chotiau a choleri . . . Ie, dyna oedd ei weledigaeth. Fe ddododd e ei ddwylo dros ei lygaid fel Saul o flaen Damascus. Oedd, roedd rhaid iddo fe fentro allan o fyd y blawd a'r bacwn a'r bara i fyd newydd — byd y cotiau a'r crysau, y teis a'r trowsusau; byd dillladau! A beth am esgidiau a welingtons . . . ac offer garddio . . . ac ati . . . ac ati?

Ar ôl cael y weledigaeth, roedd rhaid gweithredu, a gweithredu'n gyflym. Doedd Nan, gwraig Dafydd, ddim yn fodlon iddo fe fentro i fyd Dior a Quant fel hyn, ond doedd hi ddim yn gallu gwneud dim i'w stopio fe. Fe weithredodd e! O fewn ychydig wythnosau roedd y siop yn llawn o bob math o bethau. Roedd y peiriant torri cig moch ar un cownter o hyd, ac wrth ei ochr y rhewgell yn llawn o bysgod a phys, hufen iâ a chywion ieir, risols a ffagots mewn grefi ac ati. Ond ar y silffoedd nawr roedd trowsus i bob Tomi yn y dref, crys i bob Christopher, jîns i bob Jenni, ffrog i bob Ffiona, a rhuban i bob Rhoda. Esgidiau hefyd i bob Esther, sliperi i bob Sami a brws llawr i bob Bridget. Oedd, roedd rhywbeth i bawb yn siop Dafydd Williams, Fe gafodd Dafydd Williams ei weledigaeth, ac fe fuodd e'n ddigon dewr a mentrus i ddilyn lle roedd ei weledigaeth yn ei arwain e. Do, fe weithredodd, ond wrth weithredu, fe neidiodd e o'r badell ffrio i'r tân . . .

2

O DDRWG I WAETH

Roedd Dafydd Williams mewn helbul pan oedd y siop yn ddim ond siop groser, ond nawr, a'r silffoedd yn llawn o bob math o bethau, o fwydydd a dilladau, fe aeth y siop o ddrwg i waeth. Roedd Dafydd wedi neidio — hyp! Ssssss! — o'r badell ffrio i'r tân. Roedd e'n disgwyl gweld pobl yn dod yn eu cannoedd—wel, yn eu degau—i'r siop, ond doedd dim mwy yn dod nawr nag o'r blaen. Roedd e'n gwneud mwy o fusnes pan oedd pob siop arall ar gau nag roedd e yn yr oriau iawn. Ac i wneud pethau'n waeth, pobl heb arian parod ganddyn nhw oedd y rhan fwya o'r bobl yma. Roedd llawer pâr o esgidiau neu ffrog neu grys yn diflannu i fagiau'r cwsmeriaid, ond doedd Dafydd druan ddim yn cael dim arian amdanyn nhw. 'Talu dydd Sadwrn' oedd y stori bob tro bron, ond roedd un dydd Sadwrn yn dilyn y llall, a doedd yr arian ddim yn dod, dim ond cais arall am bais neu gôt neu bâr o esgidiau, a 'Rhowch e i lawr ar y llyfr, os gwelwch yn dda.' Erbyn hyn, roedd llyfr dyledion Dafydd mor llawn o enwau â llyfr teliffon.

Ie, mynd o ddrwg i waeth roedd y siop. Roedd Nan y wraig wedi bod yn erbyn mentro i fyd dilladau a'r pethau eraill o'r dechrau. Roedd Dafydd wedi disgwyl help ganddi hi i redeg yr ochr newydd yma i'r busnes, ond Na! Doedd hi ddim am helpu. Dyn swil oedd Dafydd ac roedd rhaid iddo fe gael help gyda'r dillad merched. Dyn swil *iawn* oedd e achos roedd ei wyneb e'n cochi dim ond wrth weld bras a phantis a throwsusau-sanau a pheisiau a phethau ei ferch Eirwen ar y lein ddillad bob dydd Llun. Sut yn y byd, felly, roedd e'n gallu gwerthu pethau fel hyn dros y cownter? Roedd meddwl am dynnu bra o'i bocs neu ddal pâr o bantis i fyny o flaen llygaid merch o gwsmer, iddi hi gael gweld mor bert oedden nhw, yn ddigon i godi dychryn ar Dafydd. A dyma lle roedd e'n disgwyl help gan Nan. Ond roedd digon o waith ganddi hi'n barod, meddai hi, yn slafio i gadw'r tŷ yn dwt a thaclus, yn golchi a smwddio a pharatoi bwyd ac ati.

Fe feddyliodd Dafydd wedyn am dynnu ei ferch Eirwen o'r ysgol i'w helpu fe. Ond piti gwneud hynnny. Roedd hi'n ddwy ar bymtheg oed ac yn y chweched dosbarth yn yr ysgol, ac fe fyddai hi'n sefyll ei harholiadau lefel A yn yr haf. Na, piti ei thynnu hi o'r ysgol. Roedd arni hi eisiau mynd yn athrawes i ddysgu miwsig — miwsig (a hoci a bechgyn) oedd ei byd a'i phopeth. Roedd rhaid iddi hi gael ei siawns. Doedd e ddim am sefyll ar ei ffordd. Roedd e'n disgwyl, efallai, gael ei help yn y siop ar ddydd Sadwrn, ond na, roedd pob dydd Sadwrn yn llawn ganddi hi. Hi oedd capten y tîm hoci yn yr ysgol; ac wedyn roedd y grŵp canu pop yma ganddi hi. Roedd Eirwen yn rhy brysur o lawer i helpu ei thad. Wrth gwrs, roedd hi'n barod ddigon i agor y drws gyda'r nos pan oedd rhai o fechgyn yr ysgol yn curo i brynu ffags ar y slei. Roedd siawns wedyn i gael sgwrs ar garreg y drws, ac roedd hyn yn dipyn o newid iddi hi ar ôl chwysu uwchben ei llyfrau drwy'r nos. Ond meddai ei mam, roedd hi'n gwario mwy o amser yn sgwrsio ar garreg y drws nag roedd hi'n chwysu yn ei stafell.

Doedd dim help, felly, i'w gael gan ei deulu ei hun, ac os am gael yr ochr newydd i'r busnes i dalu, roedd rhaid chwilio yn rhywle arall am help. Roedd rhaid cael rhywun a phersonoliaeth ganddi hi, rhywun oedd yn siŵr o dynnu pobl i brynu yn y siop fach rownd y gornel. Fe fuodd Dafydd yn 'chwilio'n hir heb ei chael hi', ond yna'n sydyn, fe ddaeth ffawd i chwarae ei rhan.

Roedd Dafydd wedi gweld y ferch lawer, lawer gwaith, ond doedd e ddim wedi sylweddoli ei photensial. Beth bynnag, un nos Sul yn Nebo, pan oedd pawb yn cysgu a'u llygaid yn agored, a geiriau'r gŵr mawr o'r pulpud yn llifo dros eu pennau nhw fel dŵr, fe welodd Dafydd hi a synnu. Roedd hi'n eistedd ddwy sedd o'i flaen e. Dyna hi'n troi ei phen i siarad â'i mam, i ofyn am losin neu rywbeth, mae'n debyg, ac fe sylweddolodd Dafydd fod ei holl chwilio ar ben. Doedd dim eisiau iddo fe edrych dim pellach. Dyma'r ferch i ofalu am yr ochr ddillad — dillad merched — i'r busnes. Roedd hi'n bert a gwallt du fel y frân ganddi hi, llygaid tywyll a'r twll yn ei boch perta yn y byd. Doedd Dafydd ddim yn gwybod llawer am fesuriadau merched, ond roedd Olwen Morgan — dyna oedd ei henw hi — yn falch iawn o'i 36″ — 25″ — 36″. I Dafydd doedd y mesuriadau — y ffigurau, chi'n deall — ddim yn bwysig. Iddo fe, roedd y gair i ddisgrifio'i ffigur hi'n fwy pwysig, a'r gair hwnnw oedd 'siapus'. Merch siapus iawn oedd Olwen. Ac roedd hi'n fodern ymhob peth hefyd. Pan ddaeth y mini'n ffasiynol, hi oedd y ferch gynta yn Nhalfynydd i wisgo ffrog fini. Yn wir, ei dillad mini hi oedd y rhai mwya mini yn y dref. Pan ddaeth y midi a'r macsi yn eu tro, roedd rhaid i Olwen feddwl yn galed beth i'w wneud. I fod yn gwbl ffasiynol a modern, roedd rhaid iddi hi wisgo midi neu facsi, ond pam cuddio ei rhannau mwya siapus dan ryw hen ddilladau oedd yn mynd yn ôl i amser y Frenhines Victoria? Y mini enillodd y dydd yn hanes Olwen Morgan, ac roedd llawer gŵr ifanc — a llawer un hen hefyd — yn Nhalfynydd yn falch iawn o hynny.

A'r nos Sul honno, ar ôl ei gweld hi yn yr ail sedd o'i flaen e a sylweddoli ei photensial, roedd yn amhosibl i Dafydd gadw ei lygaid oddi arni hi drwy'r weddi a'r emyn. Roedd arno fe eisiau mynd ati hi ar unwaith a gofyn iddi hi ddod i weithio yn ei siop. Ond, wrth gwrs, roedd hynny'n gwbl amhosibl a meddwl lle roedd e, ac roedd Nan ac Eirwen yn y sedd gyda fe.

Pan gododd pawb i fynd allan o'r capel, fe safodd Dafydd yn ei sedd er mwyn ei gweld hi'n pasio. Fe wenodd hi arno fe a'r twll yn ei boch yn chwarae triciau â'i galon. Oedd, roedd e'n siŵr: cael y ferch bert, siapus yma i weithio yn ei siop, ac fe fyddai ei helbulon e ar ben. Dafydd Williams oedd y gŵr mwya optimistaidd yn y byd.

Roedd ffawd yn garedig wrth Dafydd drwy arwain ei lygaid at Olwen yn y capel, ond nid dyna ddiwedd caredigrwydd ffawd, achos, fel roedd pethau, doedd Olwen ddim yn gweithio yn un lle. Byw gartref gyda'i mam roedd hi ac yn aros i 'Mr. Iawn' ddod heibio. Roedd llawer Mr. Iawn wedi dod yn ei dro, ond ar ôl dod i nabod Mrs. Mam Olwen Morgan, roedd pob un wedi diflannu fel mwngrel pan ddaw llewes heibio.

Roedd ffawd yn garedig hefyd achos roedd Mrs. Mam Olwen yn un o gwsmeriaid Dafydd, ac roedd Olwen yn dod yn aml i'r siop ar neges dros ei mam. Fe ddaeth hi yno y bore Llun ar ôl y nos Sul yn Nebo. Fe welodd Dafydd ei gyfle a neidio ato'n syth a gofyn iddi hi fyddai'n hi'n hoffi dod i weithio gyda fe yn y siop. Fe ddechreuodd ei galon guro rhyw rythm newydd y tu mewn iddo fe pan roiodd hi ei hateb.

Byddai, fe fyddai hi'n barod i ddod. On'd oedd bywyd yn ddiflas gartref gyda'i mam, heb ddim i'w wneud drwy'r dydd ond sychu ychydig o lestri — ei mam oedd yn dodi ei dwylo yn y dŵr poeth i'w golchi nhw — a thynnu llwch yma ac acw, a gwrando ar ei mam yn rhedeg ar bawb? Roedd rhaid i ferch gael pwrpas mewn bywyd, ac os oedd gŵr a phlant ac ati allan o gyrraedd am y tro, roedd yn bosibl gwneud yn waeth na mynd i weithio mewn siop.

Ond roedd rhai cwestiynau ganddi hi hefyd. Fyddai rhaid iddi hi weithio'r peiriant torri cig moch, neu gochi ei dwylo bach yn y rhewgell? (A chochi wyneb Dafydd wrth ei gweld hi'n plygu yn ei mini i estyn rhywbeth o waelod y rhewgell!) Na, na! Fyddai dim rhaid iddi hi wneud dim o'r gwaith caled, dim ond edrych ar ôl 'ffrils a ffal-lals y merched' — geiriau Dafydd Williams ei hunan. Felly, dyna daro'r fargen ar unwaith. Roedd Olwen yn barod i ddechrau yn y siop y 'fory nesa. Doedd dim eisiau iddi hi roi mis o notis i neb na dim. (Roedd eisiau rhoi notis i'r meddyg alw ar unwaith pan aeth Olwen â'r neges adref i'w mam, ond dydy hynny ddim yma nac acw nawr. Fe ddaeth hi dros y sioc yn gyflym iawn).

'Lwb-lwb; lwb-lwb; BWM-BWM!' meddai calon Dafydd Williams wrth weld 36″ — 25″ — 36″ Olwen yn siglo allan o'r siop (a'r 36″ isa'n siglo mwy na'r 36″ ucha) ar ôl taro'r fargen. Roedd yfory newydd yn agor o'i flaen e ac fe fyddai'r siop yn llawn o fore tan nos.

Dyna oedd gobaith Dafydd Williams, ond mae'n drist dweud, roedd y 'fory newydd yr un fath â'r hen ddoe. Roedd 'potensial' a phersonoliaeth a thwll yn y foch Miss Olwen Morgan yn ddigon i dynnu'r dynion ifanc i'r siop nawr ac yn y man i brynu sigarets, ond doedd dim mwy o werthu ar y pethau mawr nag o'r blaen. Y gwir plaen oedd, mynd o ddrwg i waeth roedd pethau, ac ar ben y cwbl, roedd rhaid i Dafydd dalu deg punt yr wythnos i Olwen am ei chwmni. Ie, am ei chwmni, achos ychydig iawn o waith roedd Olwen yn ei wneud. Doedd dim gwaith bron yno iddi ei wneud.

3

Y METHDALWR

Un noson, rhyw dri mis ar ôl i Miss Olwen Morgan ddod i 'gadw cwmni' iddo fe, fe gadwodd Dafydd Williams ei siop ar agor — fel arfer — tan saith o'r gloch gan obeithio gweld cwsmer neu ddau'n troi i mewn. Ond ddaeth neb, ac felly, yn ddiflas ac yn ddigalon, fe gaeodd e'r drws a mynd i'r stafell fyw y tu ôl i'r siop. Doedd neb yn y stafell. Roedd Nan yn y gegin yn smwddio ac Eirwen i fyny'r llofft yn chwysu uwchben ei llyfrau. Ac fel roedd e wedi ei wneud bob nos am fisoedd lawer, fe dynnodd Dafydd Williams gadair at y bwrdd ac agor ei lyfr dyledion o'i flaen. Fe ddechreuodd e droi'r tudalennau, ond twt! Faint gwell oedd e o wneud hynny? Doedd darllen enwau'r bobl oedd yn y llyfr a meddwl pethau cas amdanyn nhw, ddim yn debyg o wneud iddyn nhw dalu eu biliau. Dim o gwbl.

Roedd rhaid iddo fe wneud rhywbeth mwy; sgrifennu llythyr cas at bob un ohonyn nhw, neu, ac roedd hyn yn syniad gwell, rhoi eu henwau nhw i gyd i un o'r cwmnïau yma oedd yn gwneud dim byd ond casglu dyledion. Roedd e wedi clywed am y cwmnïau casglu dyledion yma; roedd un yng Nghaerarfor, roedd e'n siŵr. Roedd e wedi clywed am siopwyr yn 'gwerthu' eu dyledion i'r cwmni yma, ond wrth gwrs, roedden nhw'n colli tipyn fel hyn. Ond gwell cael rhan o'r arian na dim o gwbl. Oedd hi'n bosibl iddo fe 'werthu' ei ddyledion *e*? Roedd e'n troi'r peth yn ei feddwl pan ddaeth Nan ei wraig i'r stafell a chymryd cadair wrth y tân. Roedd hi wedi bod am ddwy awr ar ôl te yn smwddio, smwddio crysau a phyjamas a dilladau gwely, a'r hen gotiau hir gwyn yna roedd Dafydd yn eu gwisgo yn y siop, heb sôn am ei phethau hi ac Eirwen.

Gwraig gadarn oedd Nan Williams, sgwâr ei ffrâm, ac yn ei dydd roedd hi wedi bod yn ferch hardd, fel roedd Eirwen nawr, a'i gwallt golau'n hongian dros ei hysgwyddau. Ond roedd yr ymdrech o gael dau ben llinyn ynghyd ar yr arian roedd Dafydd yn gallu ei roi iddi hi bob wythnos o'r siop wedi gadael ei hôl arni hi yn y llinellau ar ei thalcen ac o amgylch ei llygaid. Roedd yr ymdrech wedi gadael ei hôl ar ei thymer hi hefyd.

'Hy!' meddai hi pan welodd hi ei gŵr wrth y bwrdd fel arfer a'r llyfr dyledion yn agored o'i flaen. 'Wrth dy feibl heno eto, rydw i'n gweld. On'd ydy hi'n bryd i ti ddweud gweddi fach yn lle darllen o hyd ac o hyd o dy lyfr sanctaidd? Rydw i'n cofio dysgu yn yr ysgol rhywbeth fel, *More things are wrought by prayer than this world dreams of*. Gweddi fach, ac efallai bydd rhai o'r bobl yna sy â'u henwau nhw yn y llyfr yna'n barod i dalu rhywbeth i ti. Wyt ti wedi treio gweddi, hy?'

'Paid â siarad yn dwp, wraig. Mae pethau'n ddigon drwg fel maen nhw heb i ti eu gwneud nhw'n waeth â'th dafod gwawdus,' atebodd Dafydd Williams. 'A dweud y gwir, mae pethau'n waeth nag rwyt ti'n feddwl.'

'Amhosibl! Mae'n amhosibl i bethau fod yn waeth.'

Edrychodd Dafydd yn hir ar ei wraig heb ateb. Roedd e'n gweld y llinellau ar ei thalcen ac o gwmpas ei llygaid. Roedd e'n gwybod yn dda am ei hymdrech i gael dau ben llinyn ynghyd, ac roedd e'n teimlo drosti hi. Ond roedd rhaid iddi gael y gwir. Fe dynnodd e lythyr o'i boced.

'Darllen hwn,' meddai fe. 'Fe ddaeth e gyda'r post y bore yma. Llythyr oddi wrth Prys, rheolwr y banc.'

Cymerodd Nan y llythyr a dechrau darllen. Roedd ei hwyneb hi'n goch pan ddaeth hi i'r stafell o'r gegin a'i smwddio, ond fe ddiflannodd ei lliw yn sydyn pan sylweddolodd hi beth oedd neges y llythyr. Roedd e, y rheolwr, wedi bod yn edrych ar gownt Dafydd Williams yn y banc. Roedd e, y rheolwr, wedi bod yn garedig iawn yn y gorffennol, ond nawr roedd rhaid rhoi pen ar bob caredigrwydd. Roedd llawer o sôn wedyn yn y llythyr am *overdraft* a phethau felly, ac roedd hi'n bryd i Dafydd Williams feddwl am dynnu'r *overdraft* yma i lawr. Roedd yn amhosibl i'r banc dalu ei filiau fe o hyd ac o hyd. Roedd rhaid iddo fe wneud mwy o ymdrech ei hunan, neu . . . Ac i Nan y gair 'neu' yma oedd y gair casa yn y llythyr.

Fe gododd hi ei llygaid ac edrych ar ei gŵr.

'Dwed, Dafydd, beth mae hyn i gyd yn ei feddwl?'

'Hyn, Nan,' atebodd ei gŵr. 'Mae drôr yn y cownter yn y siop yn llawn o filiau oddi wrth gwmnïau bwydydd, cwmnïau dilladau hefyd, ac mae'r biliau yma i gyd heb eu talu. Cyn bo hir, fe fydda i'n cael ail lythyrau oddi wrth y cwmnïau yma'n gofyn i fi dalu'r biliau ar unwaith, ond fydda i ddim yn gallu eu talu nhw. Fe fydd hi ar ben arnon ni wedyn. Fe fydd y cwmnïau yma'n cau arna i, ac fe fydda i'n fethdalwr, a dyna'r gwir i ti.'

Methdalwr! Roedd y gair fel ergyd ar draws ei hwyneb i Nan. Fe gododd hi ei llaw at ei thalcen a chau eu llygaid.

'O, mam annwyl!' meddai hi.

Yn ei meddwl roedd hi'n gallu gweld criw o ddynion mawr cryf yn cerdded drwy'r siop, ac yna drwy stafelloedd y tŷ, ac yn cario pob cadair a bwrdd, pob wardrob a chwpwrdd a gwely ac ati, i'w gwerthu mewn arwerthiant neu rywbeth, a Dafydd wedyn ar y dôl ac yn mynd bob dydd Gwener i gasglu ei ychydig bunnoedd i'w chadw hi ac Eirwen mewn rhyw dwll yn rhywle, y drws nesa i ryw flacs, efallai. Roedd y darlun yn un trist a digalon iawn.

'Mam annwyl!' meddai hi unwaith eto.

'Paid â thorri dy galon, wir,' meddai Dafydd mewn ymdrech deg i'w chysuro hi. 'Dydy'r byd ddim ar ben . . . wel, ddim eto.'

'Mae'r byd ar ben arna i ac Eirwen, rydw i'n gwybod hynny. Ac Eirwen yn gobeithio mynd i'r coleg hefyd. Ond dwed, Dafydd, oes dim gobaith o gwbl? Oes dim gallwn ni ei wneud? Cynilo ryw ffordd neu'i gilydd?'

'Rydyn ni wedi byw'n gynnil ers blynyddoedd. Mae'n

amhosibl i ni gynilo dim mwy. Faint o arian rydw i'n ei roi i ti bob wythnos i gadw'r tŷ yma? Mae gwragedd postmyn a dynion lludw yn cael mwy na thi. Fe allan nhw'r postmyn a'r dynion lludw a phawb arall fynd ar streic, ond alla i ddim.'

Ond dyna syniad sydyn yn taro Nan.

'Gallwn, fe allwn ni gynilo,' meddai hi.

'O? Sut?' gofynnodd Dafydd.

'Wel, yn gynta, drwy roi'r sac i Olwen Morgan.'

Doedd Nan ddim wedi hoffi Olwen Morgan o'r dechrau a'i dillad mini-mini yn dangos ei phen-ôl i bawb — geiriau Nan ei hunan. Dyma gyfle i'w chael hi o'r ffordd beth bynnag. Roedd hi, Nan, wedi dychryn lawer gwaith wrth weld Dafydd wrth y peiriant torri cig moch a'i lygaid e ar goesau siapus y ferch honno yn lle bod ar y cig moch ar y peiriant! Roedd yn syndod iddi hi fod ei fysedd o hyd ganddo fe!

Fe aeth Nan ymlaen heb aros am ateb.

'Rhaid! Mae rhaid i ti roi'r sac i Olwen Morgan, ac fe fydda i'n dod i weithio yn y siop yn ei lle hi. Dyna ddechrau ar gynilo, beth bynnag.'

Fe wnaeth Dafydd ryw sŵn rhyfedd yn ei wddw. Doedd arno fe ddim eisiau gweld Olwen yn mynd. A dweud y gwir, ei chwmni hi a'i chlebran hapus — digon di-bwynt, mae'n wir — oedd yn ei gadw fe rhag digalonni'n llwyr y dyddiau tywyll yma. O'r diwedd, meddai fe, —

'Dydy rhoi'r sac i Olwen ddim yn ddigon. Ein hunig obaith ni ydy cau'r siop yma ac agor siop newydd yn rhywle arall.'

'Agor siop yn rhywle arall?' gofynnodd Nan yn syn.

'Ie. Dydy'r siop yma ddim yn y lle iawn. Mae hi allan o'r ffordd, rownd y gornel, a phobl yn ei phasio hi i brynu eu negesau yn Y Stryd Fawr neu Stryd Groes. Mae rhaid i ni agor siop yn un o'r ddwy stryd yna, neu symud i dref arall.'

'Wel, wir, rwyt ti'n siarad yn dwp. Does dim un siop wag yn un o'r ddwy stryd i ddechrau, a dydw i ddim yn symud o Dalfynydd, mae hynny'n siŵr. A pheth arall, fe fydd eisiau arian i agor siop newydd, a ble rwyt ti'n mynd i gael yr arian yma? '

'O, dwyt ti ddim yn gwybod popeth, Nan. Fe fydd siop wag yn Y Stryd Fawr cyn bo hir — siop Gronw'r Crydd. Mae Gronw wedi mynd yn rhy hen i weithio. Fe ddwedodd e ei hun wrtho i yn'y capel nos Sul. Dyna un peth i ti, Nan. A dyma beth arall. Mae'n bosibl benthyca arian i agor siop newydd.'

'Benthyca? Benthyca arian? '

Dyna air arall oedd fel ergyd ar draws ei hwyneb i Nan. Doedd hi ddim erioed wedi benthyca dim, na phrynu dim ar H.P., a doedd hi ddim am ddechrau nawr. A beth bynnag, pwy oedd yn debyg o roi benthyg arian iddyn nhw? Ac meddai hi, yn wawdus iawn, wedi iddi hi ddod dros y sioc gynta, —

'A ble rwyt ti'n mynd i gael yr arian yma? Pwy sy'n debyg o roi benthyg arian i ti agor siop newydd? '

'Dy fodryb, Marged Bowen! ' meddai Dafydd.

'Mod . . . Mod . . . Modryb M . . . M . . . Marged? ' meddai Nan yn syn a'i cheg yn agor a chau fel pysgodyn allan o'r dŵr.

Y munud hwnnw, dyma Eirwen yn dod, fel awel mis Mai, i'r stafell o'r llofft lle roedd hi wedi bod yn gweithio mor galed. Roedd hi wedi gwisgo'n barod i fynd allan.

'Helo, Eirwen! Ble rwyt ti'n mynd yr amser hyn o'r nos? ' gofynnodd ei thad.

Doedd Nan ddim yn gallu dweud gair. Roedd y syniad o fenthyca arian gan Modryb fel blanced ar ei meddwl hi.

'Rydw i'n mynd i'r Gwalia — *second house*. Mae'r lle'n cau yr wythnos yma, chi'n gwybod. Y lle'n rhy fach i dalu'r ffordd, chi'n gwybod. Ac mae rhaid i fi fynd heno — i dalu'r gymwynas ola, fel maen nhw'n dweud.'

'O? ' meddai'r tad. 'Ac mae'r hen Walia'n cau. Rhy fach i dalu ei ffordd, ddwedaist ti? '

'Ie, ie,' atebodd Eirwen.

'Beth fyddan nhw'n ei wneud â'r lle wedyn? Wyt ti'n gwybod, Eirwen? '

'Does dim syniad gen i, dad. Gwerthu'r lle, neu ddechrau Bingo, mae'n siŵr. Ta-ta nawr.'

Ac i ffwrdd â hi allan, fel awel mis Mai eto, heb edrych ar ei mam yn eistedd yno wrth y tân fel person mewn breuddwyd.

'Wel, wel!' meddai Dafydd Williams wrtho'i hun, ar ôl i Eirwen ddiflannu drwy'r drws. Doedd Nan ddim wedi dod ati ei hun yn iawn eto. 'Ac mae'r hen sinema fach yn cau, yn union fel bydd y siop yma'n cau cyn bo hir.'

Yna'n sydyn, fe neidiodd Dafydd Williams ar ei draed a tharo'r bwrdd â'i ddwrn. Roedd rhyw fflach a phwrpas newydd yn ei lygaid. Roedd e wedi cael gweledigaeth! Deffrodd Nan gan sŵn y dwrn yn taro'r bwrdd.

4

GWELEDIGAETH NEWYDD

Do, fe ddeffrodd Nan o'i breuddwyd gan sŵn y dwrn yn taro'r bwrdd. Fe edrychodd hi'n araf o'i chwmpas. Pan ddaeth hi ati ei hun yn iawn, roedd Dafydd, ei gŵr, yn neidio, bron, o gwmpas y stafell fel oen mewn cae yn y gwanwyn.

'Hei! Beth sy'n bod arnat ti?' gofynnodd hi'n syn. 'Wyt ti allan o dy go, dwed?'

'Nac ydw, dydw i ddim allan o fy ngho. Rydw i wedi cael gweledigaeth newydd.'

'Hy! Fe gest ti weledigaeth o'r blaen, ac edrych ble rydyn ni nawr. Yn fethdalwyr, wyt ti ddim yn cofio?' meddai Nan.

'Methdalwyr! Dydy hynny'n ddim byd y dyddiau yma. Wyt ti'n gwybod beth mae llawer o wŷr busnes yn ei wneud? Maen nhw'n mynd yn fethdalwyr yn fwriadol — yn fwriadol, cofia — ac wedyn does dim rhaid iddyn nhw dalu eu dyledion; wel, dim ond rhan ohonyn nhw. Wedyn, maen nhw'n agor busnes newydd dan enw newydd, neu yn enw'r wraig neu rywun. Dyna beth maen nhw'n ei wneud. A dyna beth rydw i'n mynd i'w wneud. Rydw i'n mynd i gau'r siop yma, ac wedyn agor siop newydd, siop gwerthu popeth, yn Y Stryd Fawr,' meddai Dafydd a'i galon yn dawnsio y tu mewn iddo fe.

'Ble rwyt ti'n mynd i agor y siop newydd yma? Yn siop Gronw'r Crydd?'

'Yn ei hen siop e? Na, wir! Rydw i'n mynd i agor y siop fwya, y siop grandia, y siop fwya *posh* yn y dref yma.'

'O, felly? Ble rwyt ti'n mynd i agor y siop grandia yma? Yn festri Nebo? Mae honno'n ddigon mawr.'

'Nage! Yn y Gwalia! A dyna fydd enw'r siop — Siop Gwalia. Enw Cymraeg ar siop Gymreig. Fe fydda i'n agor *super-market* yno.' Safodd Dafydd Williams am foment a gofyn yn dawel, 'Beth ydy'r gair Cymraeg am *super-market*? Twt!' meddai fe wedyn a'i lais e'n dechrau codi eto, 'Rydw i'n gwybod gair sy'n ddigon da. Siop-farchnad! Dyna fe! Fe fydda i'n agor y siop-farchnad fwya drwy'r sir yma yn yr hen Walia. Fe fydd rhaid i siopwyr eraill y dref yma dynnu eu bysedd o'r blew wedyn. O, bydd!'

'Ond sinema ydy'r Gwalia, y dyn dwl!

'Ond, wraig, chlywaist ti mo Eirwen yn dweud fod y Gwalia'n cau yr wythnos yma? Mae hi'n rhy fach i dalu ei ffordd. Na, chlywaist ti ddim. Roeddet ti'n eistedd yn y gadair yna fel person mewn breuddwyd. Mae'r Gwalia'n rhy fach i dalu ei ffordd fel sinema, efallai, ond fe fydd hi'n ddigon mawr i dalu ei ffordd fel *super* . . . fel siop-farchnad fawr, fodern.'

'Mae'n well i ti fynd i ddodi dy ben yn y rhewgell yna yn y siop i oeri tipyn ar dy ben di. Rwyt ti'n mynd o dy go. Troi'r Gwalia yn siop-farchnad, wir? Chlywais i ddim byd mwy dwl erioed.'

'Ond, Nan fach, wyt ti ddim yn gweld? Dyma obaith newydd i ni,' meddai Dafydd Williams yr optimist. 'Fydd hi ddim yn waith hawdd, rydw i'n gwybod. Fe fydd rhaid i fi brynu'r adeilad i ddechrau, ac fe fydd rhaid i fi fenthyca arian i wneud hynny . . .'

Benthyca! Dyna'r gair yna eto. Fe ddiflannodd y flanced oddi ar feddwl Nan.

'Wrth gwrs, rydw i'n cofio nawr. Roeddet ti'n sôn am fenthyca arian oddi wrth Modryb Marged Bowen. Fe alli di anghofio hynny ar unwaith.'

'O, fydd dim rhaid i fi ofyn iddi hi am fenthyg arian . . . gobeithio! Fe fydd Prys y Banc yn ddigon parod a bodlon i estyn arian i fi ar gyfer menter mor . . . mor ardderchog â hon. Does dim byd mor fawr a phwysig â hyn wedi digwydd yn holl hanes tref Talfynydd. Meddylia, Nan, am weld y bobl yn dod yno yn eu cannoedd, a'r til arian yn mynd ting-ting drwy'r dydd o fore tan nos. A chofia di hefyd fod Y Stryd Fawr a Stryd Groes yn gul. Dim ond o flaen Y Gwalia mae'r stryd yn llydan achos mae'r Gwalia'n sefyll tipyn yn ôl o'r ffordd. A dim ond o flaen Y Gwalia mae'r bysys yn aros yn y ddwy stryd. Fe fydd y bobl o'r wlad yn disgyn o'r bysys yn union o flaen ein siop newydd ni, ac fe fyddan nhw'n gweld y ffenestri'n llawn o bob bargen dan haul. Fe fyddwn ni'n gwneud ein ffortiwn, Nan, ac fe fyddwn ni'n talu'r arian benthyg yn ôl i'r banc mewn chwinc. O, bydd; fe fydd Mei Lord Prys y Banc yn ddigon parod i estyn arian i fi i brynu'r Gwalia. Ac fe fydd Eirwen yn gallu mynd i'r coleg. A fydd dim rhaid i ni ofyn am grant na dim i'w gyrru hi yno.'

Roedd y geiriau'n llifo o geg Dafydd Williams fel afon. Yn wir, roedd e wedi cael ei gario i ffwrdd gan ei weledigaeth. Roedd e'n hedfan fel aderyn heb ddim gofal yn y byd, ond roedd traed Nan ei wraig yn ddigon sownd ar y llawr.

'Mae popeth rwyt ti'n ei ddweud yn swnio'n hyfryd . . . ardderchog, Dafydd Williams, ond cofia dwyt ti ddim wedi prynu'r Gwalia eto. Dwyt ti ddim wedi bod i weld Prys y Banc i ofyn am arian eto. A beth bynnag, rydw i'n gwybod beth fydd ei ateb e. Dim ond un gair, Dafydd Williams, a'r gair hwnnw fydd 'NA!' mewn llythrennau mawr. Na . . . na . . . NA! Nid ffŵl ydy'r dyn. A pheth arall, efallai bydd pobl eraill ar ôl Y Gwalia. Wyt ti wedi meddwl am hynny?'

'Ydw, rydw i wedi meddwl am hynny. Ond fe fydda i yn y banc bore yfory, cyn i neb arall gael cyfle i feddwl am brynu'r lle.'

'O, Dafydd Williams, mae'n ddrwg gen i drosot ti. Dwyt ti ddim yn gwybod pwy ydy perchen y lle i ddechrau.'

'Fe fydd Prys y Banc yn gwybod.'

'Ac efallai fod y perchennog wedi gwerthu'r lle yn barod.'

'Mae hynny'n bosibl. O, diar!' meddai Dafydd yn ddigalon. 'Paid â dweud dim rhagor, Nan, nes bydda i'n gweld Prys y rheolwr yn y bore. Fydda i ddim yn cysgu yr un chwinc heno, rydw i'n gwybod.'

Ond fe aeth Nan ymlaen.

'Ac rwyt ti'n anghofio un peth arall — y drôr yna'n llawn o filiau yn y siop. Pwy sy'n mynd i'w talu nhw pan fydd y cwmnïau roeddet ti'n sôn amdanyn nhw yn anfon eu hail filiau?'

'Fe fydd Prys y Banc yn siŵr o helpu pan fydd e'n clywed am y fenter newydd yma.'

'Helpu, wir! Rydw i'n gwybod beth fydd e'n ei wneud.'

'Beth?'

'Chwerthin am dy ben di. A dweud dy fod ti o dy go.'

'Hy! Faint gwell ydw i o siarad â thi? Dwyt ti wedi gwneud dim erioed ond taflu dŵr oer dros bopeth rydw i wedi ei wneud neu ei ddweud.'

'Mae'n ddrwg gen i na thaflais i ddim mwy o ddŵr oer pan gest ti'r syniad o werthu dilladau ac ati yn y siop yma ar y dechrau. Ac am ben Olwen Morgan hefyd. Ond nid ar ei phen hi mae eisiau'r dŵr oer, efallai, ond ar ei phen-ôl!'

'Nan! Beth rwyt ti'n feddwl?' gofynnodd Dafydd Williams yn goch ei wyneb.

'O, dim. Dim! Symud dy lyfr sanctaidd o'r bwrdd yma i fi gael paratoi swper. Os ydy'r drôr yna'n llawn o filiau, mae fy mola i'n ddigon gwag, beth bynnag. Symud nawr!'

Cododd Dafydd a mynd i eistedd wrth y tân ac edrych i'r fflamau. Yno, yn y fflamau, roedd e'n gallu gweld pob math o ddarluniau, a darluniau hyfryd iawn oedden nhw i gyd. Roedd e'n gallu gweld ffenestri mawr ar draws ffrynt yr hen adeilad yn lle'r posteri oedd yn dangos pa ffilmiau oedd i ddod i'r sinema; roedd e'n gallu gweld y cownterau prysur y tu mewn i'r lle, rhesi o gownterau yn lle'r rhesi o seddau. 'Fydd dim lle i neb garu yn y seddau cefn eto,' meddyliodd Dafydd. Ond yn fwy na dim, wrth edrych i'r fflamau, roedd e'n gallu gweld a chlywed y tils arian yn canu eu cân lle roedd rhaid i chi dalu i fynd i mewn i'r sinema.

Yna, fe ddechreuodd y cwestiynau godi yn ei feddwl. Faint fyddai'r perchennog yn ei ddisgwyl am yr hen adeilad? 'Mae e'n adeilad solet, cadarn,' meddyliodd Dafydd, 'ond fydd dim rhaid i fi dalu llawer amdano fe, achos fydd ar neb arall mo'i eisiau. O, ydw; rydw i'n siŵr o gael y lle'n rhad iawn, ac fe alla i werthu'r hen seddau ac ati, mae'n siŵr. O, ie! Sut lawr sy yno? Dydw i ddim wedi bod yn agos i'r lle ers . . . ers blynyddoedd. A! Rydw i'n cofio! Llawr gwastad. Dyna pam roedd y sgrîn mor uchel er mwyn i'r bobl yn y seddau cefn gael gweld, os oedd arnyn nhw eisiau gweld hefyd!' Roedd e'n cofio; doedd arno fe ddim eisiau gweld y ffilm bob amser flynyddoedd lawer yn ôl pan oedd e'n caru gyda Nan. Fe ddaeth gwên fach i'w wyneb a dechreuodd fwmian yn dawel wrtho'i hun hen gân Mary Hopkin *Those were the days.*

Fe edrychodd Nan arno fe ac ysgwyd ei phen. Oedd, roedd e allan o'i go. Roedd hi'n siŵr erbyn hyn. Ond allan o'i go neu beidio, roedd rhaid rhoi bwyd yn ei fola fe.

'Dewch at y bwrdd,' meddai hi. 'Mae'r swper yn barod.'

Fe ddaeth e at y bwrdd, a bwyta . . . wel, fel dyn mewn breuddwyd. Ie, fe oedd mewn breuddwyd nawr ac nid Nan. Roedd rhyw olwg bell, bell, bell yn ei lygaid, ond golwg hapus iawn wedi'r cwbl. Welodd e ddim beth oedd ar ei blât, a dydy e ddim yn cofio hyd heddiw beth gafodd e i swper y noson honno. Ond mae Nan yn cofio. Roedd ei phlât hi'n llawn o gig oer a phicls a phob math o bethau. Ond dyna! Roedd ei bola hi'n wag, mor wag â'r til arian yn y siop.

5

BYW MEWN GOBAITH

Chysgodd Dafydd Williams ddim llawer y noson honno. Roedd e'n troi ac yn trosi drwy'r nos a phob math o syniadau a breuddwydion yn rhedeg fel tân drwy ei feddwl. A dweud y gwir, roedd e'n falch pan ddaeth hi'n amser iddo fe godi. Roedd Nan yn fwy balch achos roedd Dafydd wedi ei deffro hi lawer gwaith yn ystod y nos gyda'i droi a throsi, a phan glywodd hi e'n codi o'r diwedd, meddai hi, 'Mmmmm . . . Hyfryd! ' a throi ar ei hochr a mynd yn ôl i gysgu.

Doedd y banc ddim yn agor tan ddeg o'r gloch, ond roedd Dafydd yn cerdded yn ôl ac ymlaen, yn ôl ac ymlaen ar y pafin y tu allan i'r adeilad am hanner awr wedi naw. Pan agorodd y drws, fe aeth e i mewn fel ergyd o wn ac yn syth at y cownter.

'Mae arna i eisiau gweld y rheolwr, Mr. Prys, os gwelwch yn dda. Ac ar unwaith.' Neidiodd y geiriau o'i geg.

'Dydy Mr. Prys ddim yn gweld pobl mor gynnar â hyn yn y bore,' meddai'r ferch tu ôl i'r cownter.

'Mae e'n siŵr o fy ngweld i. Mae fy neges i'n bwysig iawn, yn bwysig dros ben,' atebodd Dafydd. 'Dwedwch wrtho fe fod Dafydd Williams, Siop Pawb a Phopeth, eisiau ei weld e.'

'O! ' meddai'r ferch. Hi oedd wedi tynnu sylw'r rheolwr at *overdraft* y dyn yma. 'Ydych chi wedi dod i weld Mr. Prys ynglŷn â'ch *overdraft*? '

'*Overdraft*? Y . . . Ydw,' atebodd Dafydd gan wybod yn iawn nad dyna oedd ei bwrpas na'i neges.

'Mae Mr. Prys yn siŵr o'ch gweld chi ar unwaith felly,' atebodd y ferch. 'Fe â i i ddweud wrtho fe nawr.'

Dau funud wedyn roedd Dafydd yn eistedd mewn cadair fawr o flaen desg fawr bwysig Mr. Prys, a'r gŵr mawr ei hunan yn gwenu arno fe drwy ei sbectol fawr ffrâm ddu.

'Ac mae arnoch chi eisiau fy ngweld i ynglŷn â'ch *overdraft*,' meddai'r gŵr mawr.

'Na,' atebodd Dafydd.

Roedd yr ateb yn dipyn o sioc i'r gŵr mawr.

'Ond fe ddwedodd Miss Rogers . . . '

'Mae arna i eisiau siarad â chi am rywbeth llawer mwy pwysig na'r tipyn *overdraft*. Mae arna i eisiau benthyca arian i brynu'r Gwalia — yr hen sinema, chi'n gwybod.'

Fe edrychodd Prys y Banc drwy ei sbectol fawr ffrâm ddu ar Dafydd am funud neu ddau heb ddweud gair. Yna, fe ddechreuodd corneli ei geg grynu a dyma fe, y gŵr mawr, yn dechrau chwerthin dros y lle yn ei lais tenor melodaidd — yn union fel roedd Nan wedi dweud.

'Ond Mr. Williams bach,' meddai fe wedi dod dros y pwl o chwerthin, 'mae'r Gwalia'n cau achos dydy hi ddim yn talu ei ffordd i'r perchennog. Dydych chi ddim yn meddwl rhedeg sinema sy'n colli arian bob wythnos? '

'Dydw i ddim am redeg sinema. Rydw i'n mynd i droi'r lle yn siop-farchnad fawr, fodern. Mae eisiau un yn y dref yma. Siop fawr fel Marks and Spencer a Woolworth a Home Stores yn y trefi mawr.'

Edrychodd Prys y Banc am yr ail waith ar Dafydd heb ddweud gair am funud neu ddau. Yna, fe dorrodd ail bwl o chwerthin — yn y llais tenor melodaidd oedd wedi dod â llawer o gwsmeriaid i'r banc yn Y Stryd Fawr.

Ond nid chwerthin roedd Dafydd Williams. Fe edrychodd e'n syn ar reolwr y banc.

'Ydw i wedi dweud jôc neu rywbeth? ' meddai fe.

'Ha-ha-ha! ' chwerthodd Mr. Prys y Banc. 'Troi'r Gwalia yn siop-farchnad. Dyna'r jôc. Na, Mr. Williams, mae'n amhosibl i'r banc yma roi benthyg arian i chi ar gyfer y fath ffolineb. Oes syniad gennych chi o gost gwaith fel hyn? Nac oes, rydw i'n siŵr. Bore da nawr, Mr. Williams, a chofiwch am eich *ovedraft*. Fe fydda i'n disgwyl i chi wneud ymdrech fawr i'w dynnu i lawr yn ystod yr wythnosau nesa yma.'

Dyn trist a digalon iawn gerddodd allan o fanc Mr. Roland Prys y bore hwnnw. Ond y foment caeodd y drws ar Dafydd Williams, fe gydiodd Prys y Banc yn y ffôn ar ei ddesg a ffonio hen ffrind iddo fe yng Nghaerarfor.

'Fe fydd diddordeb mawr gan yr hen Shadrach yn y Gwalia, rydw i'n siŵr,' meddai Prys wrtho'i hunan tra'n aros i rywun ateb o'r pen arall . . .

Cerddodd Dafydd Williams yn araf i lawr Y Stryd Fawr a'i ben i lawr fel hen, hen ŵr. Roedd e wedi cael siom ofnadwy. Ond nid gwaith hawdd oedd cadw'r groser bach i lawr yn hir.

'Cyn mynd adref,' meddai fe wrtho'i hun, 'mae rhaid i fi gael cip ar Y Gwalia.'

Ac fe aeth e i gael cip ar y lle, ac wrth edrych ar yr hen adeilad cadarn, solet, fe ddaeth holl freuddwydion y noson cynt yn ôl i'w feddwl. Dyma'r lle gorau yn y byd i agor siop-farchnad, roedd e'n siŵr, a dim ond un peth roedd arno fe ei eisiau — arian a llawer iawn ohono. Roedd digon o syniadau ganddo fe, ond o ble roedd yr arian i ddod? Fe hedodd ei feddwl yn ôl at Prys y Banc — yr hen ffŵl yn chwerthin am ei ben e — ac yna, at yr hen Farged Bowen, modryb Nan. Doedd hi a fe, Dafydd, ddim yn ffrindiau mawr. Fel mater o ffaith, roedd y ddau'n edrych i lawr eu trwynau ar ei gilydd — fe arni hi achos ei bod hi'n gallu gwneud arian a llawer ohono fe yn ei siop fach gefn gwlad ym Mhont-y-Pandy; a hi arno fe achos ei fod e *ddim* yn gallu gwneud arian yn ei siop e yn y dref. Roedd hi, erbyn hyn, yn werth ei miloedd, ond nid drwy'r siop fach yn unig — y siop losin, fel roedd Dafydd yn galw'r lle — roedd hi wedi gwneud ei harian. Roedd Marged yn un o'r rhai oedd yn gallu troi ceiniog yn ddeg ceiniog ac yn bunt mewn byr amser. Roedd y siop fach ym Mhont-y-Pandy'n talu'n dda achos doedd dim siop arall i gystadlu â hi yno, ac roedd Marged yn gwybod beth i'w wneud â'r elw o'r siop. Prynu tai oedd ei diddordeb mawr hi. Roedd hi wedi bod yn prynu tai ers dros ddeugain mlynedd, ac nid ym Mhont-y-Pandy yn unig, ond yn Nhalfynydd a phentrefi eraill hefyd. Roedd Dafydd yn siŵr ei bod hi'n berchen ar hanner y tai yn Nhalfynydd erbyn hyn. Roedd hi wedi prynu llawer ohonyn nhw'n rhad iawn, ond nawr roedd pob tŷ'n werth miloedd o bunnoedd. Oedd, roedd yn werth mynd i'w gweld hi, meddyliodd Dafydd, ffrindiau mawr neu beidio.

Cyn troi yn ôl adref, fe roiodd Dafydd un cip arall ar yr hen sinema. A! Dyna'r poster mawr! AR WERTH — FOR SALE. Fe ddarllenodd Dafydd y poster o'r pen i'r gwaelod, ac yno ar y gwaelod roedd enw'r cwmni oedd yn gofalu am y gwerthu, Cwmni Richards and Roberts. Cyfreithwyr oedd Richards and Roberts — wel, cyfreithiwr yn y dref oedd Mr. Roberts; roedd Richards yn gorwedd yn ddigon tawel yn ei arch ar ochr y bryn ers blynyddoedd.

Roedd ar Dafydd eisiau rhedeg i weld Mr. Roberts ar unwaith. Roedd Dafydd yn hoff iawn ohono fe achos roedd e'n ddyn caredig, ac yn ddyn mawr yn Nebo hefyd. Doedd neb yn gallu cario plât casglu o sedd i sedd fel Mr. Roberts. Roedd rhyw ffordd ganddo fe o edrych arnoch chi, pan oedd y plât yn ei law, fyddai'n gwneud i chi roi mwy ar y plât nag roeddech chi wedi ei fwriadu. Os oeddech chi'n bwriadu rhoi darn pum ceiniog ar y plât, pan oeddech chi'n gweld Mr. Roberts yn dod at eich sedd, roedd rhaid i chi chwilio'n gyflym am ddarn pum ceiniog arall i fynd gyda'r un cynta, neu ei newid am ddarn deg ceiniog. Roedd yn amhosibl rhoi swm mor fach â phum ceiniog ar y plât a llygaid Mr. Roberts arnoch chi. Oedd, roedd ffordd gan Mr. Reginald Roberts.

Mynd i weld Mr. Reginald Roberts neu beidio — dyna oedd y cwestiwn ym meddwl Dafydd Williams wrth ddarllen y poster am yr ail waith. Na, roedd yn well iddo fe fynd i weld Marged Bowen yn gynta. Roedd rhaid iddo fe gael arian y tu cefn iddo fe cyn mynd i siarad â Mr. Roberts. Felly, fe droiodd e'n ôl adref, ond doedd e ddim yn teimlo mor drist nawr. Roedd Mr. Roberts yn ddyn hawdd siarad â fe, a doedd e ddim yn debyg o chwerthin am ei ben e fel roedd yr hen fola mawr, Roland Prys y Banc, wedi ei wneud. Roedd gobaith o hyd yng nghalon Dafydd Williams, dim ond cael Marged Bowen i weld gwerth y fenter newydd yma.

Cerddodd Dafydd yn sionc i mewn i'r siop fach rownd y gornel. Doedd arno fe ddim eisiau dangos ei siom i Nan. Ond roedd yn ddigon hawdd iddi weld na fuodd e ddim yn lwcus iawn. Roedd arni hi eisiau gofyn, —

'Beth wnaeth Prys y Banc? Chwerthin am dy ben di?'

Ond wnaeth hi ddim. A dweud y gwir, roedd hi'n teimlo dros ei gŵr. Wedi'r cwbl, roedd hi wedi bod yn ddigon hoff ohono fe flynyddoedd yn ôl i'w briodi fe, ac roedd rhaid derbyn y drwg gyda'r da, y garw gyda'r teg. A chwarae teg iddo fe, roedd e wedi gwneud pob ymdrech i gael y siop i dalu. Ond ar yr un pryd, roedd cael dau ben llinyn ynghyd yn dipyn o straen ar eu cariad nhw y dyddiau tywyll yma.

6

YR UNIG OBAITH

Ddwedodd Nan ddim un gair wrth Dafydd wedi iddo fe ddod adref ar ôl bod yn gweld Roland Prys. Roedd hi'n gwybod ei fod e wedi cael siom; dyna pam roedd e'n cerdded ac yn edrych mor sionc, er mwyn cuddio ei siom. Roedd Nan yn ddigon call i weld hynny. Roedd hi'n ddigon call hefyd i adael iddo fe ddod ato'i hun yn araf ac yn dawel fach. Roedd e'n siŵr o ddweud y stori i gyd wrthi hi yn ei amser ei hun. Roedd Nan yn gwybod hefyd ei fod e'n siŵr o godi mater y siop-farchnad eto — yn ei amser ei hun — achos, unwaith roedd e'n cael syniad yn ei ben, roedd yn amhosibl i Samson nac Ifans Cwmcennydd a'i ddau dractor ei symud. Ac fe gafodd Nan ei hun yn dechrau meddwl tybed oedd y syniad o droi'r hen sinema yn siop fawr mor dwp wedi'r cwbl. Ond doedd dim roedd hi'n gallu ei wneud, dim ond aros nes bod Dafydd yn barod i ddweud stori'r bore wrthi hi. Doedd dim rhaid iddi hi aros yn hir.

Wrth y bwrdd cinio — roedd y siop wedi cau, wrth gwrs, ond cnoc ar y drws ac fe fyddai Dafydd yn ddigon parod i'w agor a gadael i'w ginio oeri — ie, wrth y bwrdd cinio, dyma fe'n dechrau a'i geg yn llawn o bwdin reis, —

'Doedd e . . . ym . . . Doedd e, Bola Mawr Prys . . . ym . . . ddim yn fodlon . . . ym . . . rhoi benthyg arian i fi.'

'Nac oedd. Roeddwn i wedi deall hynny,' atebodd Nan, ac er mwyn ei dynnu fe allan, meddai hi wedyn, 'ac nawr, efallai dy fod ti'n meddwl unwaith eto am siop Gronw bach y Crydd. Pwy ydy'r perchennog?'

'Y? Beth?' gofynnodd Dafydd yn syn a stopio a llwy'n

llawn o bwdin hanner ffordd i'w geg. 'Siop Gronw? Gronw ei hun ydy'r perchennog, ond dydw i ddim yn mynd ar ôl y twll yna. Mae'r lle'n rhy fach i fi.'

'Ond mae e mewn lle da yn Y Stryd Fawr.'

'Mae'r Gwalia mewn lle gwell,' meddai Dafydd a dodi'r llwy yn ei geg.

'Dwyt ti ddim yn rhoi'r gorau i'r syniad o brynu'r Gwalia, felly. Does dim arian gen ti, cofia.'

'Dydw i ddim am roi'r gorau i'r syniad heb wneud un ymdrech eto, yn enwedig ar ôl clywed Prys y Banc yn chwerthin am fy mhen. Roedd e'n meddwl mai jôc oedd y cwbl. Ond fe fydd rhaid iddo fe newid ei diwn. Dydw i ddim wedi gorffen eto. Rydw i'n mynd i weld eich modryb, Marged Bowen. Mae hi'n werth ei miloedd, ac mae pen busnes ganddi hi. Fe fydd hi'n siŵr o weld posibiliadau'r Gwalia fel siop enfawr.'

'O? Rwyt ti'n newid dy diwn nawr. Fel arfer, rwyt ti'n edrych i lawr dy drwyn arni hi a'i 'siop losin'. Dyna dy eiriau dy hun am ei siop hi.'

'Mae hi'n lwcus achos does neb i gystadlu â hi ym Mhont-y-Pandy. Mae siop fel yna'n bownd o dalu, ond beth mae hi'n ei wneud â'i harian? Dyna beth sy'n dangos fod pen busnes ganddi hi. Hi ydy'n hunig obaith ni nawr. Ond gwrando, Nan; wyt ti'n gwybod pwy sy'n gofalu am werthu'r Gwalia? Mr. Roberts y Cyfreithiwr! Amhosibl cael dyn gwell. Fe fydd yn hawdd trafod busnes gyda fe. Mae e mor foneddigaidd . . . a charedig.'

'Ond dwyt ti ddim yn mynd i drafod busnes gyda Mr. Roberts heb ddim arian y tu cefn i ti?'

'Nac ydw. Dyna pam rydw i'n mynd i weld Marged Bowen y prynhawn yma,' meddai Dafydd gan gasglu'r darnau bach ola o reis ar ei lwy.

'Y prynhawn yma?'

('A! Mae hynna wedi rhoi sioc iddi hi,' meddyliodd Dafydd).

'Ac rwyt ti'n mynd i gau'r siop y prynhawn yma?' meddai Nan wedyn achos doedd Dafydd ddim wedi ateb ei chwestiwn cynta hi.

'Na. Fe fydd Olwen yn gofalu am y siop.'

'Olwen Morgan? A phwy fydd yn torri'r cig moch, os bydd . . . ar . . . rywun . . . eisiau . . . cig moch?' gofynnodd Nan gan aros rhwng pob gair.

'O, rwyt ti'n gwybod sut i drafod y peiriant torri cig moch, Nan.'

'Ac estyn pethau o'r rhewgell?'

'O, fe all Olwen wneud hynny.'

'A fyddi dim ddim yma i'w gweld hi'n plygu dros y rhewgell. Mae hynny'n beth da. Sut rwyt ti'n meddwl mynd i Bont-y-Pandy?' gofynnodd Nan cyn i Dafydd sylweddoli'n iawn beth oedd yn ei meddwl hi wrth sôn am Olwen a'r rhewgell.

Mae rhaid dweud fan yma nawr fod dim car na fan gan Dafydd. Sut roedd e'n gallu prynu car a'r siop ddim yn talu? Pan oedd rhaid iddo fe fynd â neges i ryw dŷ, a doedd hynny ddim yn digwydd yn aml, mewn basged ar ffrynt ei feic roedd y neges yn mynd, neu mewn basged ar fraich Dafydd druan. Roedd y cwestiwn sut roedd Dafydd yn mynd i Bont-y-Pandy yn bwrpasol iawn felly. A hefyd doedd y bysys ddim yn rhedeg yn aml rhwng Talfynydd a phentref bach Pont-y-Pandy.

'O, fe alla i fynd ar gefn y beic.'

'Mae wyth milltir i'r Bont, cofia, a dwyt ti ddim mor ifanc nawr ag roeddet ti.'

'Neu, fe alla i wneud fel mae'r stiwdents a'r hipis yn ei wneud, dechrau cerdded a chodi fy llaw ar ryw gar fydd yn digwydd pasio. Fe fydda i'n gwisgo fy siwt orau, a thei du hefyd. Fe fydd y gyrrwr yn meddwl fy mod i'n ddiweddar yn mynd i angladd neu rywbeth, ac fe fydd e'n siŵr o aros wedyn.'

Roedd yn ddigon hawdd i Nan weld fod Dafydd yn benderfynol o fynd i weld Modryb Marged; dyn penderfynol fuodd e erioed. Ond doedd hi ddim yn siŵr o'r croeso fyddai'n ei aros e wedi cyrraedd Pont-y-Pandy. Wedi'r cwbl, fuodd Dafydd a Marged ddim erioed yn ffrindiau, a doedd arni hi ddim eisiau i Dafydd gael siom am yr ail waith mewn diwrnod. Meddai hi, —

'Wyt ti'n meddwl (y) bydd hi o unrhyw werth i ti fynd yr holl ffordd i'r Bont? Wyth milltir, cofia. Roeddet ti'n sôn am dei du ac angladd ac ati. I angladd (y) byddi di'n mynd, efallai — angladd d'obeithion di.'

Fe gafodd Nan dipyn o sioc achos dyma Dafydd yn chwerthin dros y lle.

'Beth sy'n bod arnat ti?' gofynnodd hi'n syn.

'Meddwl roeddwn i,' meddai Dafydd. 'Fe fydd fy ngweld i'n dod i mewn i'w siop yn fy siwt orau a'r tei du am fy ngwddw yn rhoi'r fath sioc i'r hen Farged fel bydd hi'n cael ffit a marw yn y fan a'r lle. A dyna ddiwedd ar ein helbulon ni i gyd wedyn. Fe fydd ei holl arian yn dod i ti neu i Eirwen achos does dim teulu arall ganddi hi.'

'Dafydd Williams! Sut galli siarad fel yna? Nid mater chwerthin ydy . . . ydy marw,' meddai Nan a'i llais hi'n crynu.

'Mae'n ddrwg gen i, Nan. Jôc oedd y cwbl, a jôc sâl iawn hefyd. Mae'n ddrwg gen i. Paid â chrio nawr. Dydy Marged Bowen ddim wedi marw. Fe fydd eisiau mwy na fy ngweld i i'w rhoi hi yn ei harch.'

Druan o Dafydd! Ceisio cysuro'i wraig roedd e, wrth gwrs, ond gwneud pethau'n waeth wnaeth e drwy sôn am roi Modryb Marged yn ei harch. Rhedodd Nan allan o'r stafell ac i fyny i'r llofft a'i dwylo dros ei hwyneb.

'O, rydw i'n dwp,' meddai Dafydd wrtho'i hun wrth ei gweld hi'n diflannu drwy'r drws.

Fe gasglodd e'r llestri oddi ar y bwrdd a'u cario nhw allan i'r gegin fach a'u golchi a'u sychu nhw i gyd.

'Fydd hi ddim yn teimlo mor gas tuag ata i pan welith hi'r llestri yma i gyd yn lân,' meddyliodd Dafydd.

Erbyn iddo fe orffen y dasg honno, roedd hi'n ddau o'r gloch ac yn bryd agor y siop unwaith eto. Roedd Olwen, chwarae teg iddi, yn barod wrth y drws.

'Prynhawn da, Mr. Williams,' meddai hi yn ei ffordd fach siriol ei hun. 'Dydw i ddim yn gweld dim *queue* yma'n aros i ddod i mewn i'r siop.'

Gwenu'n dawel fach wnaeth Dafydd. Roedd Olwen wedi dweud yr un peth — jôc iddi hi — bob dydd am dri mis. Yna, meddai Dafydd, —

'Mae rhaid i fi fynd allan i'r wlad y prynhawn yma, Olwen. Fe wnewch chi ofalu am y siop, e?'

'Siŵr iawn, Mr. Williams.'

'Os bydd eisiau help arnoch chi gyda'r peiriant torri cig moch neu rywbeth, does dim ond rhaid i chi alw ar Mrs. Williams. Fe ddaw hi i'ch helpu chi. Mae hi wedi mynd i orwedd am ryw hanner awr — ddim yn teimlo'n dda neu rywbeth — ond fe fydd hi'n iawn mewn rhyw hanner awr. Rydw i'n mynd i newid fy nillad nawr.'

'Newid eich dillad? Gwisgo'ch siwt orau, Mr. Williams? Mynd i weld eich ffansi ledi ydych chi allan yn y wlad, neu'n mynd i angladd?' meddai Olwen yn ei ffordd smala ei hun. Dim ond dwy siwt oedd gan Dafydd Williams, fel roedd Olwen yn gwybod, ei siwt siop a'i siwt orau, ac os oedd e'n mynd i newid ei siwt, mynd i wisgo'i siwt orau roedd e, a doedd neb yn gwisgo'i siwt orau ar ddydd gwaith, dim ond i fynd i angladd, neu fel dwedodd Olwen, i weld 'ffansi ledi'. Doedd hi ddim yn gallu meddwl am Dafydd Williams yn rhedeg ar ôl 'ffansi ledi', ac felly, doedd hi ddim yn disgwyl yr ateb gafodd hi gan Dafydd.

'Rydw i'n mynd i weld fy ffansi ledi,' meddai Dafydd, a chyn i Olwen gael cyfle i ofyn dim rhagor, pwy oedd y 'ffansi ledi' ac ati, roedd e wedi mynd allan o'r siop gan wenu'n dawel wrtho'i hun, —

'Rydw i'n gallu bod yn smala hefyd.'

Fe aeth Dafydd yn dawel, dawel i fyny i'r llofft i'w stafell e a Nan. Roedd Nan yn gorwedd ar y gwely ac yn cysgu'n sownd.

'Popeth yn iawn,' meddai Dafydd wrtho'i hun.

Mewn dau funud roedd e wedi newid i'w siwt orau a'i dei du, a gwisgo crys glân hefyd, ac i lawr â fe mor dawel â llygoden fach i'r gegin heb ddeffro Nan. Gwisgo'i esgidiau gorau wedyn, ac roedd e'n barod i gychwyn ar y fenter fawr o fynd i weld y llewes yn ei ffau — i weld Modryb Marged Bowen yn ei 'siop losin' ym Mhont-y-Pandy.

7

Y LLEWES YN EI FFAU

Fe fuodd ffawd yn garedig wrth Dafydd Williams y prynhawn hwnnw; wel, i ddechrau beth bynnag. Doedd e ddim wedi cerdded hanner milltir allan o'r dref pan ddaeth fan fara Thomas a'i Fab heibio, a'r mab Geraint yn gyrru. Roedd Geraint yn nabod Dafydd Williams yn dda, ond fe hoffai fe nabod Eirwen yn well! Fe stopiodd Geraint a gweiddi, —

'Mynd ymhell, Mr. Williams?'

'Wel, ydw; mynd i Bont-y-Pandy . . . ym . . . colli'r bws, chi'n gwybod,' gwaeddodd Dafydd yn ôl.

'Dewch ymlaen te. Rydw i'n mynd i Bont-y-Pandy ar fy ffordd i Bentre Celyn. Neidiwch i mewn. Mae digon o le.'

'Diolch yn fawr. Mae tipyn o ffordd i gerdded i Bont-y-Pandy,' meddai Dafydd gan eistedd wrth ochr Geraint yn y fan.

'Hei, Mr. Williams, fe sylwais i eich bod chi'n gwisgo tei du. Oes dim angladd, oes e?'

'Angladd? Nac oes, nac oes. Ei wisgo fe . . . ym . . . heb feddwl wnes i, Geraint.'

'O, mae'n dda gen i glywed. Mae perthynas gennych chi yn y Bont, on'd oes e? A meddwl roeddwn i, efallai . . .'

'O, na! Na! Am Marged Bowen roeddech chi'n meddwl. Na, mae hi mor iach â'r gneuen, a sionc fel gwraig hanner ei hoed, mae'n dda gen i ddweud. Ond roeddwn i'n meddwl taro heibio i'w gweld hi y prynhawn yma. Mynd am dro bach, dyna i gyd.'

Gan sgwrsio am hwn ac arall, fe aeth y saith milltir a hanner oedd eto i'r Bont yn gyflym iawn. Roedd Geraint, druan, yn rhy swil i ofyn cwestiynau am Eirwen. Dyna hoffai fe ei wneud.

'Diolch yn fawr, Geraint. Fe fuoch chi'n garedig dros ben,' meddai Dafydd pan stopiodd y fan y tu allan i siop fach Marged Bowen.

'Ac nawr,' meddai fe wrtho'i hun gan gau botymau ei gôt, 'i weld y llewes yn ei ffau!'

Cerddodd Dafydd Williams yn ddewr i mewn i'r ffau — i siop fach Marged — heb unwaith edrych yn ôl. Roedd y llewes yn sefyll y tu ôl i'r cownter, ac wrth lwc, lwc i Dafydd, doedd neb arall yn y siop.

'Prynhawn da, Modryb Marged,' meddai Dafydd gan deimlo, a dweud y gwir, ychydig bach yn nerfus. Doedd dim rheswm dros fod yn nerfus. Wedi'r cwbl, hen wraig fach oedd Marged Bowen ac yntau'n ddyn canol oed cryf. Ei neges oedd yn gwneud i'w lais grynu ychydig, efallai.

Safodd Marged Bowen ac edrych arno fe am funud, ac yna meddai hi, —

'Dafydd Williams! Beth sy wedi dod â chi yr holl ffordd o Dalfynydd?'

Roedd arno fe eisiau dweud yn smala mai fan fara Thomas a'i Fab oedd wedi dod â fe, ond nid dyma'r amser i fod yn smala.

'Wel, . . . y . . . dim ond taro heibio i'ch gweld chi, modryb. Dyna i gyd.'

Yna, fe welodd Marged y tei du.

'Hei! Beth sy'n bod? Does dim byd wedi digwydd i Nan neu Eirwen, oes e? . . . Oes e?'

'Nac oes, nac oes!' cysurodd Dafydd. Roedd gwefusau'r hen wraig wedi dechrau crynu am foment. 'Na, na! Mae'r ddwy mor iach â'r gneuen, diolch. Ac mae'n dda gen i weld eich bod chi'n llawn bywyd, fel arfer.'

'O, rydw i'n iawn. Ond rydych chi wedi dod i fy ngweld i, meddech chi; mae rhaid bod eich neges chi'n un bwysig dros ben, a chithau'n gwisgo'ch siwt orau hefyd.'

Hen wraig fach o gorff oedd Marged Bowen. Roedd hi nawr dros ei deg a thrigain oed, ond fel roedd Dafydd wedi dweud, roedd hi mor sionc ag unrhyw wraig hanner ei hoed, ac roedd llygaid bach duon fel botymau yn ei phen. Roedd ei gwallt hi o hyd mor ddu â phlu'r frân, ac roedd hwnnw wedi ei dynnu'n ôl yn dynn oddi ar ei thalcen llydan a'i droi'n gocyn ar dop ei phen. Hi a mam Nan oedd unig ddwy ferch Matthew ac Anne Bowen, ond roedd Matthew ac Anne a mam Nan wedi marw ers blynyddoedd, a dim ond dwy berthynas oedd ganddi hi yn y byd i gyd — Nan ac Eirwen, ac efallai hwn, y Dafydd Williams yma. Doedd dim llawer o olwg ganddi hi arno fe; rhywbeth ddigwyddodd i Nan oedd e iddi hi, a rhywun oedd yn digwydd bod yn dad i Eirwen. Roedd hi'n meddwl y byd o Eirwen.

'Wel, beth ydy'ch neges chi?' gofynnodd hi wedyn.

'Wel . . . ym . . .'

'Dewch at y pwynt!'

Doedd Marged ddim byth yn gwastraffu geiriau.

'Roeddwn i . . . y . . . Roeddwn i'n meddwl agor busnes newydd,' meddai Dafydd.

'Fe fyddai'n well i chi wneud i'r siop sy gennych chi'n barod dalu'r ffordd yn gynta, cyn meddwl am agor siop neu fusnes arall.'

'Hen siop rownd y gornel ydy honna sy gen i nawr, a . . .'

'A hen siop losin ac ati ydy hon, ond mae hi'n talu ei ffordd.'

'Wel, ydy. Rydych chi'n gwneud yn dda iawn yma, ac mae pen busnes gennych chi . . .'

'Yn fwy nag sy gennych chi.'

'Does dim rhaid i chi fod yn gas wrtho i, Modryb Marged.'

'Miss Bowen, os gwelwch yn dda.'

Miss Bowen? Dyma rywbeth newydd i Dafydd. Roedd hi'n chwerthin am ei ben e? Roedd yn amhosibl dweud beth oedd yn mynd ymlaen yn ei phen hi.

'Miss . . . Bowen? Ond, Modryb . . .' dechreuodd Dafydd.

'Miss Bowen, os gwelwch yn dda. Rydyn ni'n trafod busnes, on'd ydyn ni? Does dim eisiau dod â 'theulu' i mewn i fusnes. Roeddech chi'n mynd i agor busnes newydd, meddech chi. Ewch ymlaen!'

'Roeddwn i'n meddwl agor siop fawr newydd a gofyn i chi ddod yn . . . ym . . . yn bartner yn y busnes,' meddai Dafydd. Roedd Dafydd yn gwybod yn iawn mai wedi dod i fenthyca arian roedd e, ond roedd e wedi sylweddoli nad oedd dim gobaith iddo fe gael dim o ddilyn y lein yna. Ei unig obaith nawr oedd ei chael hi'n bartner yn y busnes.

'O! ' meddai Marged Bowen. 'A ble rydych chi'n meddwl agor y busnes yma? '

'Yn Nhalfynydd.'

'Mae digon o siopau yn Nhalfynydd yn barod.'

'Ond does dim un *supermarket* yno; dim siop-farchnad fawr fodern fel Marks a Spencer a Bountiful ac ati. Chi'n gweld, Mod . . . Miss Bowen, roeddwn i'n meddwl prynu'r hen sinema, Y Gwalia, a'i throi hi'n siop fawr. Meddyliwch am yr arian fyddai mewn siop fel yna. Rydych chi'n werth eich miloedd nawr, ond wedi cael y siop newydd yma ar ei thraed, wel, fe fyddai'r arian yn dod i mewn fel dŵr.'

'Pwy ddwedodd fy mod i'n werth fy miloedd? ' gofynnodd Marged Bowen.

'Wel . . . ym . . . neb; dim ond meddwl roeddwn i fod digon gennych chi i ddod yn bartner gyda fi yn y fenter ardderchog yma. Ac roedd rhaid i fi roi'r cynnig cynta i chi achos eich bod chi'n un o'r teulu. Mae gwaed yn dewach na dŵr, chi'n gwybod.'

'Does dim o'ch gwaed chi, Dafydd Williams, yno i, mae'n dda gen i ddweud,' meddai Marged. 'Ond roeddech chi'n dweud eich bod chi'n mynd i brynu'r Gwalia, wel, *meddwl* prynu'r Gwalia; fe fyddai hynny'n nes at y gwir. Mae hi'n cau, ydy hi? Fel sinema, rydw i'n feddwl.'

'Ydy. Mae hi'n rhy fach fel sinema i dalu'r ffordd. Mae costau popeth mor ofnadwy yn ddiweddar. Ond fel siop fodern . . . Meddyliwch, Mod . . . Miss Bowen! Ac mae'r bysys o'r wlad yn aros y tu allan i'r siop . . . y tu allan i'r Gwalia.'

'Ac rydych chi wedi dod yma i fenthyca arian gen i i brynu'r Gwalia er mwyn ei throi hi'n siop. Ydych chi wedi bod yn gofyn am fenthyg arian yn rhywle arall? Y banc, er enghraifft? '

'Rydw i wedi dweud mai chi sy'n cael y cynnig cynta,' meddai Dafydd gan fwrw o'i feddwl bob co am Roland Prys y Banc; 'y cynnig cynta i ddod yn bartner yn y busnes.'

'Partner, wir! Does arnoch chi mo f'eisiau i fel partner. Eisiau f'arian i sy arnoch chi, Dafydd Williams. Ydych chi'n meddwl fy mod i'n dwp?' meddai Marged gan edrych arno fe fel cath yn edrych ar gi. Roedd Dafydd yn disgwyl iddi hi boeri arno fe, ond wnaeth hi ddim.

'Ond, Modryb Marged . . . Miss Bowen . . .'

'Rydych chi'n gwastraffu eich amser, Dafydd Williams, a fy amser i hefyd.'

Edrychodd y botymau bach o lygaid arno fe am hanner munud heb symud.

'Efallai,' meddai hi wedyn, 'efallai byddai diddordeb gen i yn y siop yma ar ôl i chi brynu'r Gwalia . . . *ar ôl* i chi ei phrynu hi. Prynhawn da, Dafydd Williams.'

Fe droiodd Dafydd druan yn ddigalon a dechrau cerdded allan o'r siop.

'O!' meddai Marged Bowen cyn iddo fe gyrraedd y drws, 'dwedwch wrth Nan ac Eirwen i ddod i fy ngweld i ryw bryd. Dyma arian i dalu am eu bws. Does dim gennych chi,' ac fe drawodd hi ddarn hanner can ceiniog ar y cownter.

Fe droiodd Dafydd ac edrych ar yr arian.

'Stwffiwch eich arian, ac rydych chi'n gwybod ble!' meddai fe a cherdded yn gyflym allan o'r siop.

8

SHADRACH JONES

Dyddiau diflas a digalon iawn oedd y rhai nesa i Dafydd Williams. Roedd e'n teimlo fod ei fyd bach e ar ben. Doedd e'n gweld dim gobaith yn un man. Ac roedd e wedi bod mor anfoneddigaidd wrth Marged Bowen. Roedd dweud wrthi hi i stwffio'i harian yn swnio'n ddigon smala ar y pryd, ac roedd rhaid iddo fe wenu fwy nag unwaith ar ei ffordd adref i Dalfynydd. Fe gafodd e lifft adref, wrth lwc, ac fe fuodd bron iddo fe ddweud yr holl stori wrth y dyn gododd e yn ei gar. Ond nawr, roedd y peth yn ei boeni fe achos doedd e ddim yn beth boneddigaidd i'w ddweud wrth neb. Roedd Dafydd Williams yn edrych arno'i hun fel gŵr bonheddig, beth bynnag oedd swm ei ddyledion. A hefyd, roedd ei unig obaith o godi arian i brynu'r Gwalia wedi diflannu.

Roedd e'n poeni am Marged Bowen, ond roedd y drôr yn y siop yn llawn o filiau heb eu talu yn ei boeni fe fwy. Roedd disgwyl y postmon bob bore fel hunllef, fel roedd pob breuddwyd bob nos yn hunllef. Roedd e'n gweld y biliau'n dod drwy'r drws fel afon, ac yna, pawb roedd arno fe arian iddyn nhw yn rhuthro i mewn i'r siop gan ddangos eu dannedd fel cŵn o'u co ac yn tynnu popeth oedd ar y silffoedd taclus dan draed. Yna, roedden nhw'n rhuthro i'r llofft ac yn tynnu Nan ac Eirwen o'u gwelyau ac yn eu cipio nhw i ffwrdd i fod yn ddawnswyr mewn harem neu rywbeth!

Oedd, roedd y dydd fel y nos yn un hunllef hir i Dafydd Williams. A hefyd, roedd Nan yn ei ben e bob dydd yn gofyn iddo fe pryd roedd e'n mynd i roi'r sac i Olwen Morgan, a phryd roedd e'n mynd i weld hen Gronw'r Crydd. Roedd

Nan yn siŵr mai symud i siop yr hen grydd oedd y ffordd orau iddyn nhw allan o'u helbul ariannol. Ond ateb Dafydd i'r ddau gwestiwn bob tro oedd 'Yfory! Yfory!' Fe ddaeth llawer 'yfory' ond chafodd Olwen mo'r sac eto, ac aeth Dafydd ddim i weld Gronw'r Crydd. A dweud y gwir, doedd e ddim yn gwybod beth i'w wneud nac i ble i droi. Roedd ei ben yn troi fel top, a mwy nag unwaith roedd e wedi edrych yn hir ar y ffwrn nwy yn y gegin. Ond Na! Nid dyna'r ffordd allan o'r helbul. Roedd e'n ŵr bonheddig, ac roedd rhaid iddo fe wynebu'r byd fel gŵr bonheddig. Roedd hi'n ddigon trist meddwl am Nan ac Eirwen fel gwraig a merch i fethdalwr ('Ac fe fydda i'n fethdalwr cyn bo hir!') heb sôn am fod yn wraig a merch i ŵr gymerodd ei fywyd ei hun. Roedd rhaid iddo fe fod yn ddewr, ond nid gwaith hawdd oedd hynny yn wyneb pethau fel roedden nhw. Ond 'dewr' oedd y gair.

Roedd Dafydd yn falch iawn o un peth — doedd Nan ddim wedi sôn un gair wrtho fe na gofyn un gair iddo fe am beth oedd wedi digwydd ym Mhont-y-Pandy. Roedd e'n fwy na diolchgar iddi hi, ac roedd e'n siŵr o un peth ynghanol ei holl helbulon — ei fod e'n caru Nan yn fwy nag erioed. Roedd e'n gweld ei gwerth hi'n fwy a mwy gyda phob dydd oedd yn mynd heibio, a dyna'n siŵr gadwodd e, wel . . . o'r ffwrn nwy, hynny a'r ffaith ei fod e'n edrych arno'i hun fel gŵr bonheddig. Doedd gŵr bonheddig ddim yn gwneud dim byd twp fel . . . wel, dodi ei ben yn y ffwrn nwy.

Oedd, roedd disgwyl y postmon bob bore yn hunllef i Dafydd, ond mae rhaid bod ffawd yn gwenu arno fe, achos ddaeth dim un llythyr oddi wrth neb yn dweud fod rhaid iddo fe dalu ei ddyled ar unwaith neu o fewn ychydig ddyddiau. Ac fel roedd un dydd yn dilyn y llall heb unrhyw lythyr cas yn dod, roedd Dafydd yn dechrau teimlo'n well. Roedd e wedi bod yn cymryd golwg rhy dywyll ar bethau efallai.

Roedd ffawd yn chwarae ei rhan ym mywyd Dafydd Williams mewn lle arall hefyd — ym Mhont-y-Pandy.

Welodd Dafydd mo wyneb Marged Bowen, wrth gwrs, pan ddwedodd e wrthi hi i stwffio'i harian. Roedd e wedi rhuthro allan nerth ei draed. Roedd geiriau Dafydd yn sioc i'r hen wraig ar y dechrau. Fe edrychodd hi ar ei gefn e'n diflannu drwy'r drws a'i llygaid botymau hi'n fflachio. Ond yn sydyn, wedi iddi sylweddoli'n iawn beth roedd e wedi ei ddweud, dyma gorneli ei cheg yn dechrau crynu, a heb yn wybod iddi bron, roedd hi'n chwerthin dros y lle, a doedd hi ddim wedi chwerthin ers blynyddoedd.

'Ha-ha-ha! He-he-he! Fe ddwedodd y ffŵl bach wrtho i i stwffio f'arian! Chlywais i ddim byd mwy smala ers blynyddoedd. Meddyliwch! Rhyw gyw bach o groser o'r dref yn dweud wrtho i i . . . Ha-ha-ha!'

Doedd neb wedi mentro dweud gair yn groes i'r hen wraig ers cyn co, a dyma'r groser bach yma nawr yn dweud wrthi hi beth i'w wneud â'i harian. Roedd Dafydd wedi disgwyl iddi hi neidio dros y cownter ar ei ôl e . . . wel, bron. Efallai nad oedd hi'n ddigon sionc i hynny. Ond piti fod Dafydd wedi rhuthro allan mor gyflym. Fyddai'r dyddiau nesa ddim wedi bod mor dywyll iddo fe. Heb yn wybod iddo fe ei hun, roedd mwy o feddwl gan Marged ohono fe nawr nag oedd ganddi o'r blaen. Roedd hi'n hoffi gweld dyn a thipyn o blwc ynddo fe, ac roedd Dafydd Williams wedi dangos digon o blwc wrth ddweud wrthi hi i . . . wel! Fe chwerthodd yr hen wraig fwy nag unwaith yn ystod y dyddiau nesa.

Ryw wythnos ar ôl y digwyddiad mawr yma, roedd Marged Bowen yn sefyll y tu ôl i'w chownter fel arfer, pan stopiodd car mawr crand y tu allan i'r siop. Fe ddaeth dyn tal, main allan ohono a cherdded i mewn i'r siop.

'Helo, Marged Bowen, sut rydych chi ers llawer dydd?' meddai'r dyn gan godi ei het fowler ddu yn foneddigaidd.

Edrychodd Marged arno fe am funud heb ddweud gair. Oedd hi'n nabod y dyn yma? Yna'n sydyn, meddai hi, —

'Shadrach Jones! Beth rydych chi'n ei wneud yma? Roeddwn i'n meddwl eich bod chi yn Llundain yn gwneud eich ffortiwn drwy werthu llaeth a dŵr.'

'Drwy werthu llaeth, hen wraig. Llaeth, a dim ond llaeth,' atebodd y dyn tal, main.

'Hei! Peidiwch chi â galw "hen wraig" arna i. Rydych chi'n hynach na fi. Roeddech chi yn *standard two* yn ysgol y pentref yma pan oeddwn i yn *standard one.* Rydw i'n cofio'n iawn.'

'Chi gafodd eich cadw'n ôl achos eich bod chi'n . . . *backward,* Marged Bowen.'

'Wel, os clywais i'r fath beth! Wel, dydych chi ddim wedi newid o gwbl. Rhyw hen beth tal, main fel coes brws oeddech chi bryd hynny, fel rydych chi nawr. Dydych chi ddim wedi bod heibio'r lle yma ers blynyddoedd. Beth sy wedi dod â chi yma heddiw?'

'O, digwydd pasio roeddwn i ar fy ffordd i Dalfynydd, ac roedd rhaid i fi aros i weld yr hen le a'r *hen* wynebau,' meddai Shadrach Jones gan feddwl ei fod e'n rhoi ergyd i Marged wrth sôn am *hen* wynebau.

Chwerthin wnaeth Marged.

'Ac rydych chi'n mynd i agor busnes llaeth a dŵr yn Nhalfynydd? Fe alla i ddweud wrthoch chi nawr yn syth eich bod chi'n gwastraffu eich amser. Mae digon o bobl yn gwerthu'r ddau beth yna yn Nhalfynydd yn barod.'

Tro Shadrach oedd hi i chwerthin nawr.

'Na. Rydw i wedi gwerthu fy musnes llaeth ers blynyddoedd. Mae diddordebau eraill gen i nawr.'

'Diddordebau eraill? O?'

Er bod Marged Bowen yn falch o bob cyfle i ddweud rhywbeth cas wrth Shadrach Jones erioed, roedd meddwl uchel ganddi hi ohono fe. Bachgen tlawd o'r pentref oedd e, ond roedd e wedi mentro i Lundain i wneud ei ffortiwn. Roedd e wedi gwneud ei ffortiwn hefyd, ac roedd Marged yn meddwl yn uchel o bawb oedd yn gallu gwneud arian.

'Oes, oes; mae diddordebau eraill gen i nawr,' meddai Shadrach gan edrych yn bwysig dros ben. 'Bancio, cwmnïau benthyg arian ac ati. A neuaddau bingo . . .'

'Neuaddau bingo?' meddai Marged. 'Chlywais i erioed y fath beth. Ydych chi, bachgen o Bont-y-Pandy, yn mentro sefyll fan yna a dweud eich bod chi'n cymryd diddordeb mewn neuaddau bingo? Pethau'r diafol ydy'r neuaddau bingo yma.'

'Twt! Peidiwch â siarad fel rhyw hen Biwritan. Mae arian yn y neuaddau bingo, a dydw i byth, fel chi, Marged Bowen, yn troi fy nhrwyn ar arian, nac ar bob cyfle i wneud arian. Cyn bo hir, fe fydd neuadd bingo yn Nhalfynydd hefyd.'

'Na!' Doedd Marged ddim yn gallu credu ei chlustiau. Bingo yn Nhalfynydd? 'Ble rydych chi'n mynd i godi'r neuadd bingo yma?'

Roedd Marged yn gwybod, os oedd Shadrach wedi penderfynu godi neuadd bingo yn Nhalfynydd, ei fod e'n siŵr o wneud.

'A!' meddai Shadrach gan ddodi un bys wrth ei wefusau a chau un llygad. Doedd e byth yn gweiddi ei fusnes o bennau'r tai. Ond twt! Doedd dim diddordeb gan yr hen wraig yma mewn bingo na neuaddau bingo, a fyddai hi ddim yn debyg o gystadlu â fe i brynu . . . wel, yr adeilad yma yn Nhalfynydd. A fyddai hi byth yn agor ei cheg wrth neb, dim ond gofyn iddi hi beidio. Doedd arno fe ddim eisiau i neb arall wybod ei gynlluniau eto. A pheth arall, roedd e'n hoffi rhoi sioc i'r hen ferch. Felly, gan edrych dros ei ysgwydd i fod yn siŵr nad oedd neb yn gwrando — ac fe blygodd Marged ymlaen dros y cownter i fod yn siŵr o glywed yn iawn — meddai Shadrach yn ei chlust, —

'Dydw i ddim am godi neuadd o gwbl. Mae'r hen sinema, Y Gwalia, ar werth. Rydw i'n mynd i'w phrynu hi a'i throi hi'n neuadd bingo.'

'Nac ydych!'

Oedd, roedd yr hen Shadrach wedi rhoi sioc i'r hen ferch. Fe aeth ei phen hi'n ôl fel rhywun wedi cael dwrn dan ei ên.

'Ydw,' meddai Shadrach wedyn. 'Pryd o fwyd yn Y March Du, ac wedyn fe fydda i'n mynd i weld Reg Roberts y Cyfreithiwr. Fe sy'n gofalu am y gwerthu.'

'O!' meddai Marged. Roedd hi wedi dod ati ei hun yn dda iawn nawr ar ôl y sioc gynta, ac roedd ei meddwl busnes hi'n gweithio, ac yn gweithio'n gyflym iawn hefyd. 'A phwy ydy'r perchennog? Perchennog Y Gwalia?'

'Rhywun o Birmingham. Dyna beth glywais i, ac mae arno fe eisiau cael y lle oddi ar ei ddwylo fe mor fuan ag sy'n bosibl. Rydw i'n siŵr o'i gael e'n rhad iawn,' meddai Shadrach Jones gan rwbio'i ddwylo a gwneud sŵn fel dau ddarn o galico'n cael eu rhwbio yn ei gilydd.

'O, Shadrach Jones,' meddai Marged, 'ydych chi'n sylweddoli beth rydych chi'n ei wneud? Rydych chi'n agor palas i'r diafol yn Nhalfynydd. Palasau'r diafol ydy'r neuaddau bingo. Fe fydd rhaid i chi dalu yn y nefoedd — nage, yn y lle arall, — am hyn.'

Doedd hi ddim yn credu dim un gair o hyn, wrth gwrs, ond doedd arni hi ddim eisiau i Shadrach fod mewn gormod o frys i fynd i weld Reginald Roberts y Cyfreithiwr. 'Meddyliwch eto, Shadrach Jones, cyn i'r diafol gau ei ddyrnau amdanoch chi fel na allwch chi byth ddianc,' meddai hi.

Dim ond chwerthin wnaeth Shadrach Jones. Doedd arno fe ddim ofn y diafol — yn y byd yma nac yn y byd nesa. Fe gododd ei het yn foneddigaidd.

'Neis eich gweld chi unwaith yn rhagor, Marged Bowen, ac yn edrych mor sionc a llawn o fywyd ag erioed. Dydd da i chi,' ac fe droiodd Shadrach a cherdded yn araf a phwysig ar ei goesau main allan o'r siop.

Cydiodd Marged Bowen yn y ffôn a ringio garej y pentref y foment yr aeth ei gefn e drwy'r drws.

'Wil Bifan! Oes car gennych chi'n handi yna? Rydw i eisiau mynd i'r dref. Rydw i mewn brys mawr . . . Oes? Da iawn . . . Na, does dim eisiau i chi newid eich dillad na dim. Dydw i ddim yn mynd i angladd na dim byd felly. Dewch fel rydych chi . . . Does dim ots gen i am yr oel na dim. Brys, cofiwch! Brys! Fe fydda i'n eich disgwyl mewn pum munud.'

Fe ddododd hi'r ffôn i lawr. Roedd gwên fach o gwmpas ei gwefusau. Fe ddechreuodd hi rwbio'i dwylo yn ei gilydd fel roedd Shadrach Jones wedi'i wneud, ond sŵn fel rhwbio dau ddarn o sidan yn ei gilydd oedd y sŵn nawr.

9

YN SWYDDFA REGINALD ROBERTS

Fe gafodd Shadrach Jones bryd o fwyd wrth ei fodd yn Y March Du. Sigâr wedyn a gwydraid o win ac roedd e'n barod i fynd i weld Reginald Roberts, Cyfreithiwr. Roedd e'n edrych ymlaen yn fawr at gwrdd â'r cyfreithiwr unwaith eto a thrafod busnes â fe.

'Fe fydd e'n falch o gael y lle oddi ar ei ddwylo, rydw i'n siŵr, achos does neb arall yn debyg o'i brynu fe. Fe fydda i'n cael yr Hen Walia'n rhad, a fydd dim rhaid i fi wario llawer arni hi i'w throi hi'n neuadd bingo. Fe fydd saith neuadd gen i wedyn, ac fe fydd yr arian yn llifo i mewn fel dŵr,' meddyliodd Shadrach wrth dynnu ar ei sigâr a sipian y gwin bob yn ail.

Doedd fawr o olwg ganddo fe ar y bobl oedd yn mynd i'r neuaddau bingo, ond os oedden nhw mor barod i estyn eu harian iddo fe, roedd e'r un mor barod i'w dderbyn. Ffyliaid oedden nhw i gyd, a gwir oedd yr hen air Saesneg, *A fool and his money* ac yn y blaen.

'Mae'n well i fi roi cip ar yr hen Walia cyn i fi fynd i weld Reg. Roberts,' meddai fe wrtho'i hun ar ôl troi ei wydr gwin a'i ben i lawr i fod yn siŵr nad oedd dim diferyn ar ôl. 'Dydw i ddim wedi gweld yr hen adeilad ers blynyddoedd, ac efallai fod eisiau tipyn o waith arno fe erbyn hyn. Mae rhaid i fi fwrw'r pris i lawr mor isel ag sy'n bosibl.'

Roedd Shadrach yn meddwl hefyd am yr olwg ar wyneb Marged Bowen pan ddwedodd e ei fod e'n mynd i agor neuadd bingo. Yr hen Biwritan! Doedd hi ddim wedi symud gyda'r amserau, ond doedd dim disgwyl iddi hi a hithau wedi byw ar hyd ei hoes mewn twll fel Pont-y-Pandy. Doedd hi ddim yn gwybod beth oedd yn mynd ymlaen yn y byd mawr y tu allan i Bont-y-Pandy . . . a Thalfynydd. Roedd e'n gwybod ei bod hi'n berchen ar lawer o dai yn y pentref ac yn y dref, a chwarae teg iddi hi am wneud y gorau o bob cyfle, ond mewn bancio ac ati . . . ac mewn neuaddau bingo . . . roedd yr arian.

Wedi talu ei fil — a'r cil-dwrn o ddeg y cant; mor gas oedd ganddo fe bethau fel yna — fe gerddodd e allan i'r Stryd Fawr gan edrych yn hamddenol ar bawb a phopeth ar ei ffordd i lawr at Y Gwalia. Oedd, roedd graen ar yr hen dref — ffenestri'r siopau'n llawn o bob peth dan haul a golwg siriol ar wynebau'r bobl. Roedd digon o arian yn Nhalfynydd, roedd hynny'n amlwg, ' ond cyn bo hir, fe fydd rhan o'r arian yma beth bynnag yn llifo i mewn i fy mhocedi i.' Fe ddechreuodd Shadrach wenu mor siriol â'r bobl roedd e'n eu gweld yn y stryd. A welodd e ddim un siop yn wag yn un man. Dim ond mewn trefi tlawd roeddech chi'n gweld siopau gwag.

Dyma fe'n sefyll o flaen yr hen sinema ac edrych arni hi'n ofalus o'r tu allan. Cerddodd yn ôl nes ei fod e bron ar yr heol i weld y lle'n well. Oedd, roedd yr adeilad yn un cadarn a solet. A'r to? O, roedd hwnnw'n bownd o fod yn iawn achos llechi o'r hen chwarel oedd arno. Na, doedd fawr o eisiau unrhyw fath o waith ar y tu allan i'r adeilad. 'Fe fydd rhaid newid yr enw, wrth gwrs. Hm! Beth? *The Gwalia Bingo Hall*! Dyna ni! Dyna gadw'r hen gyda'r newydd. Fe fydd rhaid cael mwy o oleuadau o bob lliw y tu allan yma. Fe fydd y lle'n edrych yn llawer mwy siriol wedyn. Mae'r tu allan yma'n ddigon tywyll a di-liw fel mae e.'

Roedd drysau'r sinema ar agor ac fe gerddodd Shadrach i mewn.

'A! Dyna'r lle i dalu i fynd i mewn. Fydd dim eisiau newid hwnna.'

Yna, fe aeth e i mewn i'r sinema ei hun. Doedd dim llawer

o olau yno, dim ond digon i ddwy ferch oedd yn tynnu llwch yma ac acw wneud eu gwaith. Fe edrychodd Shadrach o gwmpas y lle heb gymryd dim sylw o'r merched. 'Hm! Bydd, fe fydd eisiau peintio'r waliau yma, a'r to hefyd,' gan edrych i fyny. 'A bydd eisiau llawer gwell goleuadau y tu mewn yma.' Yna, fe edrychodd e ar y rhesi o seddau. 'Fe fydd rhaid tynnu bob yn ail res allan er mwyn cael lle i'r byrddau. Fe fydd lle yma wedyn i . . . faint? Dau gant? Dau gant a hanner . . . a phob un yn barod i wario . . . Hm! Faint? Dau ddeg pump o geiniogau am y pleser o wrando ar y galwr yn gweiddi, 'Un deg tri, llawn o sbri; dau ddeg chwech, taro . . . !' Wow! Aros di, Shadrach! Fe fydd rhaid bod yn foneddigaidd bob amser. 'Naw deg naw, yn y baw,' ac ati ac ati. Fe alla i gael nosweithiau Cymraeg yn unig. Fe fydd hynny'n apelio'n fawr at bobl y dref ac at y bobl cefn gwlad. Fe fyddan nhw'n llifo i mewn. 'Pum deg tri; arian i fi.' Roedd Shadrach wrth ei fodd. Mor hawdd oedd gwneud odlau hefyd. 'Tri deg dau; llew yn y ffau. Saith deg saith; allan o waith. Ardderchog! Does neb bron allan o waith yn y dref yma.' Ond roedd cael odl i 'pump' dipyn yn anodd i Shadrach. 'Anodd? Na! Chwe deg pump; dyna gwymp. Ond fe fydd digon o amser gen i i feddwl am odlau eto.'

Cerddodd Shadrach allan o'r sinema yr un mor hamddenol ar ei goesau main ag y daeth e i lawr y stryd. Yna, fe droiodd e i Stryd Groes lle roedd swyddfa Reginald Roberts, Cyfreithiwr . . . Doedd e ddim wedi anfon gair na ffonio na dim i ddweud ei fod e'n dod, ond 'fe fydd yr hen frawd yn falch o fy ngweld i, rydw i'n siŵr, ac yn ddigon parod i roi rhyw hanner awr fach i drafod busnes gyda fi.' Roedd Shadrach yn meddwl tipyn ohono'i hun.

Roedd y drws i'r stryd ar agor. Cerddodd Shadrach i mewn. O'i flaen roedd drws arall a'r geiriau YMHOLIADAU — ENQUIRIES arno. Curodd Shadrach yn ysgafn ar y drws.

'Dewch i mewn,' meddai llais, ac i mewn aeth Shadrach. Roedd dyn yn eistedd wrth fwrdd y tu ôl i gownter.

'Alla i'ch helpu chi?' gofynnodd y dyn.

‘Gallwch,’ atebodd Shadrach. ‘Mae arna i eisiau gweld Mr. Roberts.’

‘Oedd e’n eich disgwyl chi, syr?’ gofynnodd y dyn. (Roedd golwg ‘syr’ ar y dyn tal, main yma a’r het fowler ddu ar ei ben).

‘Nac oedd, doedd e ddim yn fy nisgwyl i, ond rydw i’n siŵr bydd e’n barod i fy ngweld i, dim ond i chi ddweud fy enw i wrtho fe,’ meddai Shadrach. ‘Shadrach Jones ydy’r enw. Mr. Shadrach Jones.’

‘Mae’n ddrwg gen i, Mr. Jones, ond dydy Mr. Roberts ddim yma. Dydy e ddim wedi dod yn ôl o’i ginio. Roedd e’n ddiweddar yn mynd i ginio, rydw i’n meddwl, achos roedd rhywun gyda fe pan es i i ginio am un o’r gloch.’

‘Drat!’ meddai Shadrach. ‘Fydd e’n hir, ydych chi’n meddwl?’

‘Dydw i ddim yn gwybod, achos does dim syniad gen i pryd aeth e i ginio . . . syr. Wnewch chi aros? Fe alla i ffonio’i gartref, os bydd hynny o ryw werth i chi, syr. Cymerwch gadair tra bydda i’n ffonio.’

‘Na, does dim eisiau i chi ffonio. Fydd e ddim yn hir iawn, os ydw i’n nabod Reginald Roberts yn iawn. Roedd e’n arfer byw yn y swyddfa yma bron,’ atebodd Shadrach.

‘Mae Mr. Roberts yn gweithio’n galed iawn. Ond cymerwch gadair tra byddwch chi’n aros.’

Fe gymerodd Shadrach gadair a dyna lle buodd e am dros hanner awr yn croesi un goes fain dros y llall, bob un yn ei thro, a rhwbio’r dwylo calico yn ei gilydd nes bod nerfau’r dyn y tu ôl i’r cownter yn rhacs. Mor falch oedd e pan ddaeth Mr. Roberts o’r diwedd.

‘Wel, wel, wel! Mr. Shadrach Jones!’ meddai’r cyfreithiwr yn siriol gan estyn llaw o groeso pan welodd e pwy oedd yn ei aros e. ‘Sut rydych chi ers llawer dydd? Rydw i’n falch iawn o’ch gweld chi unwaith eto, Mr. Jones.’

‘Rydw i wedi bod yma ers dros hanner awr,’ oedd ateb sur y gŵr main.

‘O, mae’n ddrwg gen i. Mae’n wir ddrwg gen i, ond roeddwn i’n ddiweddar iawn yn mynd i ginio heddiw.

Dewch drwodd i fy stafell i. Mae'n siŵr fod rhyw fater pwysig gennych chi i'w drafod. Dydy dyn fel chi, Mr. Jones, ddim yn dod yr holl ffordd o Gaerarfor am ddim, rydw i'n siŵr. Yng Nghaerarfor rydych chi'n byw nawr, yntê, Mr. Jones?'

'Ie, yng Nghaerarfor,' atebodd Shadrach eto'n ddigon sur.

'Roeddwn i'n meddwl. Nawrte, dewch gyda fi, os gwelwch yn dda.'

Dilynodd Shadrach y cyfreithiwr bonheddig i'w stafell breifat.

'Dyna ni! Nawr, eisteddwch yn y gadair fawr yma,' meddai Mr. Roberts gan wenu'n siriol drwy ei sbectol aur ar Shadrach. Fe aeth yntau i eistedd yn ei gadair-droi wrth ei ddesg fawr.

'Nawrte, mae rhyw fater o fusnes gennych chi i'w drafod, Mr. Jones. Rydw i'n barod i wrando,' meddai'r cyfreithiwr.

'Wel, i ddod yn syth at y pwynt — rydw i wedi gwastraffu dros hanner awr fel mae, — rydw i'n deall fod yr hen sinema, Y Gwalia, ar werth, ac mai chi sy'n gofalu am ei gwerthu.'

'Y Gwalia ar werth? O, nac ydy,' atebodd Mr. Roberts.

'Nac ydy? Ond, ddyn, fe ffoniodd Mr. . . . fe ffoniodd cyfaill i fi i ddweud fod y lle ar werth, ac fe welais i'r poster y tu allan i'r Gwalia â fy llygaid fy hun.'

'Dydw i ddim wedi cael cyfle i dynnu'r poster i lawr eto, Mr. Jones. *Roedd* Y Gwalia ar werth, ond fe werthais i'r hen le annwyl y bore yma, ac fe ges i'r pris roedd y perchennog yn gofyn amdano heb ddim trafferth o gwbl.'

Eisteddodd Shadrach yn wan yn ei gadair, yn rhy wan i godi un goes fain dros y llall, a golwg siomedig dros ben ar ei wyneb. Doedd e ddim yn gallu credu ei glustiau. Y Gwalia wedi cael ei gwerthu, a hynny'n union dan ei drwyn e? Pwy yn y byd mawr oedd wedi ei phrynu hi?

'Rydw i'n gweld fod hyn yn dipyn o sioc i chi, Mr. Jones. Mae eich wyneb chi'n wyn. Gymerwch chi ddiferyn o ddŵr neu rywbeth?' gofynnodd y gŵr bonheddig. 'Mae'n amlwg eich bod chi wedi meddwl prynu'r Gwalia, ac mae'n wir ddrwg gen i eich siomi chi, ond does dim galla i ei wneud nawr.'

Oedd, roedd Shadrach wedi cael ei siomi, a'i siomi'n fawr hefyd, ond pwy yn y byd oedd eisiau'r lle? Roedd rhaid iddo fe ofyn.

'Ga i . . . Ga i ofyn pwy sy wedi ei phrynu hi?' gofynnodd Shadrach a'i lais e'n wan ac yn crynu. Druan ohono fe! Roedd e'n edrych ei oed nawr.

'Gallwch, gallwch, Mr. Jones. Fe alla i ddweud wrthoch chi'n dawel fach, dim ond i chi beidio â dweud wrth neb arall. Cofiwch nawr! Rydw i wedi gwerthu'r Gwalia i Miss Marged Bowen o Bont-y-Pandy. Rydych chi'n ei nabod hi'n dda, rydw i'n siŵr. Wrth gwrs, un o Bont-y-Pandy ydych chi hefyd. Hen wraig annwyl ydy hi — annwyl dros ben.'

Neidiodd Shadrach Jones ar ei draed fel dyn oedd wedi eistedd yn sydyn ar bocer poeth.

'Marged Bowen!' meddai fe. 'Yr hen ——— yna!' ac fe ddefnyddiodd e air na allwn ni mo'i brintio yma.

'Mr. Jones! Wir!' meddai Reginald Roberts. 'Eich iaith, os gwelwch yn dda! Does neb yn cael defnyddio iaith fel yna yn fy swyddfa i. Iaith tŷ tafarn! Mae rhaid i fi ofyn i chi fynd.'

'Na . . . Na . . .' Roedd yr hen ŵr yn rhy wan i gael y geiriau allan. 'Mae . . . Mae'n ddrwg gen i. Ond . . . roeddwn i'n siarad â'r hen . . . â Marged Bowen y bore yma, a doedd arni hi ddim eisiau prynu'r Gwalia bryd hynny. Wel, ddwedodd hi ddim, yr hen . . .' ac fe stopiodd e mewn pryd cyn dweud y gair ofnadwy yr ail waith. 'Faint . . . Faint dalodd hi am y lle?'

'Wel, wir, Mr. Jones! Dydw i ddim byth yn trafod busnes fy nghwsmeriaid gyda phobl eraill. Fe ges i'r arian roedd y perchennog yn gofyn amdano, a dydw i'n dweud dim rhagor na hynny. Prynhawn da, Mr. Jones,' ac fe gododd Mr. Reginald Roberts o'i gadair, a doedd e ddim hyd yn oed am ysgwyd llaw â Shadrach.

'Un munud, os gwelwch yn dda, Mr. Roberts,' meddai Shadrach. Doedd e ddim am golli'r Gwalia os gallai fe beidio, yn enwedig i'r hen . . . yr hen ferch yna o Bont-y-Pandy. 'Dydw i ddim yn gwybod faint dalodd Marged Bowen i chi, ond rydw i'n barod i dalu mil arall, Mr. Roberts; mil o bunnoedd ar ben yr hyn dalodd Marged Bowen.'

'Rydych chi'n rhy ddiweddar, Mr. Jones. Rydw i wedi rhoi fy ngair i Miss Marged Bowen, a dydw i byth yn torri fy ngair,' atebodd Mr. Roberts.

'Fe â i i weld perchennog Y Gwalia,' meddai Shadrach.

'Miss Bowen ydy'r perchennog nawr.'

'Fe â i i weld yr hen berchennog.'

'Ewch â chroeso, ond fe fyddwch chi'n gwastraffu eich amser.'

Fe welodd Shadrach o'r diwedd nad oedd dim gobaith ganddo fe nawr i gael Y Gwalia, ac fe gododd e fel hen, hen ŵr — a dyna beth oedd e, a dweud y gwir — a cherdded allan o swyddfa Richards and Roberts. Doedd e ddim erioed wedi cael ei siomi fel roedd e y prynhawn hwn. Fe aeth e allan heb hyd yn oed ddweud 'Prynhawn da'.

Pan gyrhaeddodd e'r stryd, fe gafodd e syniad sydyn. Tybed oedd Marged Bowen yn chwarae tric â fe, tric roedd e ei hun wedi chwarae ar bobl lawer tro. Tybed oedd hi wedi brysio i brynu'r Gwalia er mwyn ei gwerthu hi wedyn am fwy o arian iddo fe? Roedd rhaid iddo fe fynd i'w gweld hi eto a rhoi pryd o dafod iddi hi. Efallai ei bod hi'n ei ddisgwyl e nawr. 'Fe fydd yr hen —— yn cael ei siomi, achos fydda i ddim yn prynu'r lle oddi arni hi. Sut bydd hi'n teimlo wedyn ag adeilad mawr di-werth ar ei dwylo hi? *He who laughs last* ac ati, a fi fydd yn chwerthin nawr. Ond yn gynta, rydw i'n mynd i roi pryd o dafod i Roland Prys yn ei fanc nes ei fod e'n neidio. Fe fydda i'n ei dynnu fe'n rhacs.'

Fe aeth Shadrach ac fe roiodd e bryd o dafod i Roland Prys. *Fe* oedd wedi ei ffonio fe fod Y Gwalia ar werth. Roedd Shadrach yn teimlo'n well wedyn, ac yn barod i wynebu Marged Bowen yn ei ffau. Ond cael ei siomi wnaeth e yno hefyd achos dim ond chwerthin am ei ben e wnaeth Marged a'i alw fe'n 'hen goesau main' yn union fel roedd hi pan oedden nhw'n blant ers llawer dydd. Fe ddwedodd hi hefyd fod neb yn mynd i agor 'palas i'r diafol' yn Nhalfynydd os oedd hi'n gallu gwneud rhywbeth i'w stopio fe. Ddwedodd hi ddim fod ei chynlluniau ei hun ganddi hi ar gyfer Y Gwalia.

Dyn trist iawn gerddodd allan o'r siop fach ym Mhont-y-Pandy a throi ei gar unwaith eto tua Chaerarfor.

Ond am Marged Bowen, roedd hi wedi mwynhau ei dydd, ac roedd hi wrth ei bodd ei bod hi wedi curo'r hen Shadrach Jones. A mwy na hynny, roedd diddordeb newydd ganddi hi mewn bywyd nawr. Rhyw fywyd digon diflas roedd ei bywyd hi wedi bod ar hyd y blynyddoedd, ond nawr roedd rhywbeth ganddi hi i edrych ymaen ato. Roedd hi'n barod i chwerthin a mwynhau bywyd unwaith eto. Oedd, roedd Marged Bowen wedi mwynhau ei dydd, ac roedd ei phen hi'n llawn o gynlluniau beth i'w wneud â'r hen Walia, ac roedd Dafydd Williams yn chwarae rhan bwysig yn y cynlluniau hynny.

10

YN FFAU'R LLEW

Fel rydych chi'n gwybod, roedd disgwyl y postmon bob bore yn hunllef i Dafydd Williams. Fe gafodd e ddau neu dri o lythyrau oddi wrth gwmnïau roedd arno fe arian iddyn nhw, ond doedden nhw ddim yn llythyrau cas, dim ond dweud byddai'r cwmnïau'n falch o dderbyn eu harian yn fuan, ond os oedd e wedi talu'n barod, a'r llythyrau wedi croesi yn y post, doedd e ddim i gymryd yr un sylw o'r llythyrau.

Ond un bore, rai dyddiau ar ôl ymweliad Shadrach Jones â Phont-y-Pandy ac â Thalfynydd — doedd Dafydd ei hun ddim yn gwybod, wrth gwrs, am yr ymweliad . . . wel, ddim eto — fe ddaeth llythyr wnaeth i galon Dafydd suddo o'i frest i'w esgidiau. Roedd stamp tair ceiniog newydd ar yr amlen; roedd hynny'n ddigon i ddangos fod y llythyr yn un pwysig iawn, achos dim ond stampiau dwy a dimai oedd ar y llythyrau gafodd e oddi wrth y cwmnïau bwyd a dillad. Ond yn waeth na'r stamp ar yr amlen oedd yr enw ar ei chefn, *Bombard Banc Limited,* y banc roedd Roland Prys yn was mor dda iddo. Roedd ar Dafydd ofn agor yr amlen. Safodd ac edrych arni am dri munud llawn cyn cydio mewn cyllell dorri cig moch oddi ar y cownter. Roedd e'n gwybod beth oedd yn y llythyr heb hyd yn oed ei agor. Roedd ar Roland Prys eisiau ei weld e unwaith eto achos doedd e ddim wedi tynnu dim un geiniog goch oddi ar ei *overdraft;* eisiau ei weld e i roi pryd o dafod iddo fe unwaith yn rhagor.

Ond dyma ddodi'r gyllell yn yr amlen o'r diwedd si . . . i . . . ip! Tynodd Dafydd y llythyr allan a dechrau darllen a'i galon i lawr yn ei esgidiau o hyd. Oedd, roedd ar Roland Prys eisiau gweld Dafydd ond doedd dim sôn am yr *overdraft.* Roedd arno fe eisiau gweld Dafydd mor fuan ag oedd yn bosibl achos bod materion pwysig iawn ganddo fe i'w trafod gyda Dafydd.

Beth oedd y 'materion pwysig' yma, tybed? Doedd dim syniad gan Dafydd. Dim ond un 'mater pwysig' oedd i'w drafod ym meddwl Dafydd, a'r *overdraft* oedd hwnnw. Roedd rhywbeth wedi digwydd, *credit squeeze* neu rywbeth, roedd Dafydd yn siŵr. Wel, roedd rhaid cael y peth drosodd mor fuan ag oedd yn bosibl. Edrychodd Dafydd ar ei wats. Hanner awr wedi naw! 'O'r gorau! Fe fydda i yn y Bombard pan fydd y drysau'n agor,' ac fe aeth drwodd i'r stafell y tu ôl i'r siop i roi'r newyddion drwg i Nan, ac i ofyn iddi hi fod yn barod i helpu Olwen yn y siop os byddai angen. Doedd e ddim wedi bod yn ddigon dewr i roi'r sac i Olwen eto. Doedd 'yfory' ddim wedi dod . . . eto!

Fe agorodd drws y banc yn union am ddeg o'r gloch ac fe gerddodd Dafydd Williams yn syth i mewn. Doedd e ddim yn gwybod pam, ond yn sydyn, dyma fe'n cofio am ffilm roedd e wedi ei gweld flynyddoedd mawr yn ôl. Doedd e ddim yn cofio enw'r ffilm nawr, ond roedd e'n cofio'r Cristnogion cynnar yn cerdded yn ddewr i mewn i'r arena fawr yn Rhufain i wynebu'r llewod boliau-gwag. Doedd arnyn nhw ddim ofn, o leia, doedden nhw ddim yn dangos eu hofn. Roedden nhw'n canu wrth gerdded i'w tranc. Fentrodd Dafydd ddim canu wrth gerdded i mewn i'r banc; fe fyddai pawb yn meddwl mai rhywun o ysbyty'r meddwl oedd e. Ond fyddai neb yn gallu dweud yr ofn oedd yn ei galon e wrth ei weld e'n cerdded ymlaen at gownter mawr y banc. Cerddodd yn syth fel milwr, neu un o'r Cristnogion cynnar, gan edrych yn syth o'i flaen.

'Mae ar Mr. Prys y rheolwr eisiau fy ngweld i ar faterion pwysig,' meddai fe wrth y ferch y tu ôl i'r cownter a'i lais e'n gadarn a chryf.

Edrychodd e ddim ar y ferch yn plygu uwchben ei llyfrau a'i phethau ar y cownter, dim ond dal i edrych yn syth o'i flaen . . . fel milwr . . . neu Gristion cynnar!

'O, bore da, Mr. Williams. Mae Mr. Prys yn eich disgwyl chi. Ewch drwodd, os gwelwch yn dda,' meddai'r ferch.

Fe droiodd Dafydd — *left turn*! — yn sionc fel milwr a cherdded at ddrws stafell breifat Mr. Roland Prys. Yn sydyn, fe stopiodd e a meddwl, 'Hei! Nid fel yna siaradodd y ferch yna â fi y tro diwetha roeddwn i yma.' Fe droiodd e ac edrych ar y ferch. Tybed? Oedd gwên ar ei hwyneb hi? Hy! Oedd! Ond gwên Nero, neu wraig Nero, oedd hon wrth weld Cristion arall yn mynd i'w dranc. Sythodd Dafydd ei gefn, a *Quick march* at y drws a churo.

'Dewch i mewn,' meddai llais tenor melodaidd o'r stafell.

Fe aeth Dafydd i mewn a chau'r drws ar ei ôl. Roedd e nawr yn yr arena fawr a'r llew mwya a chasa yn y byd yno'n barod i neidio arno fe. Roedd e'n falch ei fod e wedi cofio'r ffilm yna. Roedd hynny wedi rhoi nerth iddo fe wynebu . . . wel, hyd yn oed Roland Prys y Bombard!

'Roedd arnoch chi eisiau fy ngweld i,' meddai Dafydd. Fe fuodd bron iddo fe ddweud 'syr', ond doedd Dafydd Williams ddim yn galw 'syr' ar neb. 'Wel, dyma fi!'

On'd oedd e'n ddewr!

Bore da, Mr. Williams. Eisteddwch,' meddai'r 'llew' — ond efallai mai Nero oedd e. 'Rydw i'n gweld eich bod chi wedi brysio yma ar ôl derbyn fy llythyr.'

'Ydw,' meddai Dafydd yn *staccato,* gan feddwl tybed oedd y dyn yma'n swnio'n fwy caredig nag oedd e'r tro diwetha. A'r ferch yna wrth y cownter. Roedd hi wedi gwenu arno fe. Twt, na! Rhyw chwarae cath a llygoden oedd hyn i gyd. Ond fe gymerodd Dafydd gadair ac eistedd.

'Wel, Mr. Williams, rydych chi'n cofio'r tro diwetha buoch chi yma,' meddai Roland Prys a rhyw olwg hanner sur, hanner siriol ar ei wyneb e — y sur, mae'n debyg, achos ei fod e'n cofio'n rhy dda y pryd o dafod gafodd e gan Shadrach Jones, ac un o berthnasau Dafydd Williams oedd achos hwnnw.

'Ydw,' *staccato* eto.

'Wel, rydych chi'n cofio gofyn i fi am fenthyg arian i brynu'r Gwalia. Fe fues i mor anfoneddigaidd â chwerthin am eich pen.'

'Do!' *Staccatissimo*!

'Wel, rydw i wedi bod yn troi'r peth yn fy meddwl, ac rydw i'n credu (y) byddai'n beth da i droi'r hen Walia yn siop-farchnad.'

'By . . . By . . . Beth?' *Lento crescendo! Allargando!*

'Mae arian yma i chi fynd ymlaen â'r gwaith. Rydw i'n siŵr fod eisiau siop o'r fath yn y dref yma,' meddai'r llais tenor.

Cododd Dafydd Williams yn araf ar ei draed a phlygu ymlaen dros y ddesg fawr a phedwar bys a bawd ei ddwy law yn ei gadw fe rhag syrthio'n fflat ar ei wyneb arni hi. Oedd e'n clywed yn iawn? Oedd y dyn yma nawr yn cynnig arian iddo fe i brynu'r Gwalia, y dyn oedd wedi gwrthod arian iddo fe y tro cynta? Plygodd Dafydd ymlaen yn nes at Prys y Banc, nes bod trwynau'r ddau'n cyffwrdd bron. Fe dynnodd Prys ei sbectol fawr ffrâm ddu. Roedd wyneb y groser yn rhy agos at ei wyneb ei hun, a doedd e ddim yn gallu ei weld e mor glir wedi tynnu ei sbectol.

'Dwedwch hwnna i gyd eto,' meddai Dafydd er ei fod e wedi clywed yn iawn y tro cynta. 'Dydw i ddim yn siŵr ydw i'n eich deall chi neu beidio, neu efallai mai breuddwydio rydw i. Ydych chi'n cynnig arian i fi nawr i brynu'r Gwalia?'

'Dweud rydw i, Mr. Williams, os ydych chi'n dymuno mynd ymlaen â'r gwaith o droi'r Gwalia yn siop, fydd dim rhaid i chi boeni am arian. Fe fydd y *Bombard Banc Limited* y tu ôl i chi, ac mae enw'r Bombard yn ddigon. Mae e'n enwog ymhob cornel o'r byd. Wrth gwrs, fe fydd y gwaith i gyd yn costio miloedd o bunnoedd, Mr. Williams, ond beth ydy miloedd i'r Bombard? Dim ond diferyn yn y môr!' Ac fe ddododd Mr. Prys ei sbectol yn ôl ar ei drwyn achos bod Dafydd wedi eistedd unwaith eto — ei goesau a'i fysedd a'i ddwy fawd yn rhy wan i'w ddal e mwy.

Yn araf, araf roedd y neges yn suddo i mewn i feddwl Dafydd — yn suddo, suddo . . . Doedd Roland Prys ddim yn tynnu ei goes e na dim byd felly? Wel, na! Fyddai rheolwr banc ddim byth yn gwneud peth mor ffôl. Roedd ar Dafydd eisiau dawnsio a neidio a chanu a gweiddi a sgrechian — i gyd ar yr un pryd. Fe fyddai fe'n barod i gusanu'r hen ferch yna wrth y cownter hyd yn oed, mor hapus roedd e'n teimlo. O, haleliwia! Ond doedd Dafydd ddim yn rhy siŵr eto ei fod e wedi clywed yn iawn, ac meddai fe, —

'Rydych chi'n barod i estyn yr arian yma i fi, ac rydych chi'n gwybod ar yr un pryd fod *overdraft* gen i yma. Fe fydd arnoch chi eisiau gwarant o ryw fath, neu . . . beth maen nhw'n galw'r peth nawr . . . ym . . . mechnïaeth. Ie, dyna fe! Mechnïaeth!'

'Fe fydd gwarant gennyn ni, neu fechnïaeth, os ydy'n well gennych chi'r gair yna, Mr. Williams. Fe fydd y papurau a'r dogfennau i gyd yn aros yn ein dwylo ni yn y banc. Fe fydd Mr. Roberts y Cyfreithiwr a fi'n trafod ochr ariannol y busnes i gyd. Felly, y peth gorau i chi ei wneud nawr ydy mynd i weld Mr. Reginald Roberts, a dweud wrtho fe eich bod chi'n dymuno prynu'r Gwalia er mwyn ei throi hi'n siop-farchnad, a bod Banc y Lombard yn gwarantu'r arian at y pwrpas. Rydw i wedi cael sgwrs â fe'n barod. (Ddwedodd y bancwr ddim mai Mr. Roberts oedd wedi bod yn cael sgwrs â fe!) Rydw i'n gwybod y pris mae e'n ei ofyn am yr adeilad, ac fe fydd Mr. Roberts yn barod i'ch helpu chi ymhob ffordd bosibl.'

'O, dyn da ydy Mr. Roberts. Fuodd erioed mo'i well. A chi hefyd wrth gwrs, Mr. Prys,' meddai Dafydd, er ei fod e'n cofio'n dda fel roedd e'r bancwr wedi chwerthin am ei ben e unwaith. Ond cofio neu beidio, roedd y neges ganddo fe'n iawn nawr, ac roedd ei galon yn neidio y tu mewn iddo fe gan lawenydd.

'Wel, dyna ni, Mr. Williams. Mae'r ffordd yn glir i chi nawr. Ewch i weld Mr. Roberts, ac fe fydd e wedyn yn anfon y papurau a'r dogfennau i fi i'w cadw yn y banc. Ac os bydd y fenter . . . wel, ddim yn llwyddiant, fe alla i werthu'r adeilad i rywun arall. Rydw i'n gwybod am berson fyddai'n falch iawn o gael Y Gwalia, ond rydw i'n rhoi'r cyfle cynta i chi, Mr. Williams. Beth bynnag, fydd y banc ddim ar ei golled. O, ie! Mae yna un peth arall. Fe fydd rhaid gwario llawer iawn o arian i wneud siop fodern o'r hen Walia, a'i stocio hi wedyn, ond cyn i chi wario'r un geiniog, fe fydd rhaid i Mr. Roberts a fi weld eich holl gynlluniau a'ch archebion er mwyn i ni gael syniad o'r costau ac ati. Rydych chi'n deall hynny, Mr. Williams?'

'Ydw, siŵr. Mae popeth mor glir â golau dydd. Diolch yn yn fawr iawn, iawn i chi, Mr. Prys, am ail-feddwl y mater yma.'

'Does dim rhaid i chi o gwbl. Dydd da i chi nawr, a phob lwc a llwyddiant i chi yn y fenter.'

'Dydd da,' meddai Dafydd ac allan â fe fel bwled o wn. Fe redodd e adref nerth ei draed i roi'r 'newyddion da o lawenydd mawr' i Nan.

'Ble mae'r tân?' gwaeddodd un dyn ar ei ôl e wrth ei weld e'n rhedeg i lawr y stryd.

Yn ei stafell yn y banc edrychodd Roland Prys ar y drws roedd Dafydd wedi ei adael ar agor ar ei ôl.

'Ail-feddwl? Ba!' meddai fe, ac yna gweiddi, 'Miss Rogers! Dewch i gau'r drws yma!'

Fyddech chi byth yn meddwl wrth ei glywed e y munud hwnnw fod llais tenor hyfryd ganddo fe. Beth oedd ym mhen yr hen wraig yna o Bont-y-Pandy yn rhoi ei thrwyn yn y busnes fel hyn? Fe fyddai fe wedi cael cil-dwrn da iawn gan Shadrach Jones . . .

11

RING O' ROSES

Dydd o lawenydd mawr oedd hwnnw i Dafydd Williams. Roedd arno fe eisiau neidio a dawnsio a chanu. Fe redodd e i mewn i'r siop rownd y gornel a rhoi cusan fawr i Nan oedd ar y pryd yn gweithio'r peiriant torri cig moch. Fe fuodd hi bron â cholli bysedd un llaw! Fe fyddai Dafydd wedi cusanu Olwen Morgan hefyd. Roedd e wedi dymuno gwneud hynny lawer tro yn ystod y dyddiau tywyll a'r ddau yn y siop heb hanner na chwarter digon o waith i'w wneud, ac roedd Olwen mor bert a siapus. Ond achos bod Nan yn rhy agos, ac achos bod cwsmer yn y siop, roedd e'n fodlon am y tro ar roi slap fach ysgafn iddi ar ei phen-ôl wrth ei phasio hi y tu ôl i'r cownter. ' Ow! Mr. Williams! ' meddai hi, yn union fel dweud, ' Dewch eto . . . â chroeso! '

Wrth gwrs, doedd Nan, nac Olwen na'r cwsmer, ddim yn gallu deall beth oedd yn bod ar Dafydd pan ddaeth e i mewn i'r siop mor hapus ac mor llawn o fywyd. Roedd Nan yn siŵr ei fod e allan o'i go unwaith yn rhagor, ond wedi i'r cwsmer fynd (heb dalu, wrth gwrs. ' Dodwch e i lawr ar y llyfr, os gwelwch yn dda ') dyma Dafydd yn rhoi'r newyddion da o lawenydd mawr i Nan ac Olwen.

' Mae'r dyddiau tywyll wedi mynd heibio. Mae'r wawr wedi torri, a bydd goleuni yn yr hwyr! '

Roedd Nan yn fwy siŵr wedyn ei fod e o'i go achos ei fod e wedi canu ' Bydd goleuni yn yr hwyr ' nerth ei ben ar dôn roedden nhw'n ei chanu'n aml yn y capel. Roedd Olwen hefyd yn dechrau ofni fod rhywbeth o'i le ar Mr. Williams, er ei bod hi wedi hoffi'r slap fach ar ei phen-ôl.

Beth bynnag, wedi gorffen ei linell o'r emyn, dyma Dafydd yn dechrau egluro, ac nid cyn pryd, achos fe fyddai Nan wedi ffonio am y doctor.

'Rydw i wedi bod yn gweld Mr. Roland Prys yn y Bombard y bore yma, ac mae'r Bombard yn barod ac yn fodlon i roi benthyg arian i fi i brynu'r hen Walia er mwyn ei throi hi'n *supermarket* fawr *super*,' meddai fe, er nad dyna eiriau Mr. Prys o bell ffordd. Roedd rheolwr y banc wedi dewis ei eiriau'n ofalus iawn, a doedd e ddim wedi sôn am roi benthyg arian i Dafydd Williams, dim ond dweud byddai'r Bombard Bank a Reginald Roberts y tu cefn iddo fe. Ond fel yna roedd Dafydd wedi deall geiriau Mr. Prys, fod y banc yn fodlon rhoi benthyg arian iddo fe i brynu'r adeilad a'i droi e wedyn yn siop.

'Ow, Mr. Williams, dyna dda!' meddai Olwen gan guro'i dwylo'n llawen fel plentyn bach. 'Ac fe fydda i'n dod i weithio gyda chi yn y *supermarket*, Mr. Williams?'

'Byddych, byddwch, Olwen fach,' atebodd Dafydd. Yna gan droi at Nan, meddai fe, 'Beth sy gennych chi i'w ddweud, Nan? Dydych chi ddim wedi dweud un gair eto.'

Druan o Nan! Roedd y newyddion da wedi bod yn ormod o sioc iddi hi. Doedd hi ddim yn gallu dweud gair, ond o'r diwedd, dyma hi fel Dafydd yn dechrau canu — llinell o emyn eto — 'Rwy'n gweld o bell y dydd yn dod.' A dyna'r ddau wedyn yn chwerthin dros y lle ac yn cydio dwylo ac yn dawnsio *Ring o' Roses* ar ganol llawr y siop, ac Olwen yn ysgwyd ei phen gan feddwl ei bod hi'n hen bryd iddi hi ffonio'r doctor i'r ddau. Ond chwarae teg iddi hi, roedd hi'n gallu deall llawenydd y ddau; roedd hi'n gwybod pa mor ddrwg roedd pethau wedi bod yn y siop; ac felly, dyma hi'n cydio dwylo â'r ddau a chwarae'r gêm unwaith eto. Hi oedd y cynta i lawr pan ddaethon nhw at yr *all fall down*.

Fe gododd y tri yn goch eu hwynebau, a phob un yn teimlo'n swil eu bod nhw wedi bod mor blentynnaidd. Ond twt! Dydd o lawenydd oedd hwn.

Nan oedd y cynta i ddod ati ei hun a sylweddoli byddai

problemau mawr yn eu hwynebu nhw cyn byddai'r siop-farchnad yn barod. Meddai hi, —

'Mae'r banc yn barod i estyn arian i ti, Dafydd, ond beth ydy'r cam nesa?'

'Y cam nesa, Nan annwyl, ydy mynd i weld Mr. Roberts y Cyfreithiwr. Mae Mr. Prys wedi cael gair gyda fe'n barod, meddai fe. Fe fydd rhaid i fi roi fy enw wrth ryw ddogfennau a phapurau ac ati, mae'n debyg, ac fe fydd y banc yn cadw'r dogfennau fel . . . ym . . . . mechnïaeth.'

'Dyna dda!' meddai Olwen Morgan er nad oedd hi'n deall y gair "mechnïaeth" na "dogfennau", ond roedden nhw'n swnio'n dda ac yn bwysig.

'Da dros ben, Olwen fach,' meddai Dafydd. 'Ac wedyn, ar ôl cael gair â Mr. Roberts, fe allwn ni fynd ymlaen â'n cynlluniau ni. Fe fydd eisiau pensaer — *architect,* chi'n gwybod, Olwen — a *builders and contractors* i wneud y gwaith wedyn. Ac fe fydd rhaid i ni ofalu am stoc ac ati achos fe fyddwn ni'n gwerthu popeth yn y siop. O, mam annwyl, fuodd neb erioed mor hapus ag ydw i y munud yma. Haleliwia!'

'Amen!' meddai Nan ac Olwen gyda'i gilydd.

'Diolch i'r tad, fydd dim rhaid i fi boeni am gael dau ben llinyn ynghyd eto,' meddai Nan. Ac yna, ychydig bach yn ofnus, 'Rwyt ti'n siŵr bydd y siop yma'n llwyddiant, Dafydd?'

'Llwyddiant? Llwyddiant Napoleonaidd, Nan. (Napoleon oedd arwr mawr Dafydd ers dyddiau ysgol. Roedd e'n falch fod y "corporal bach" wedi achosi cymaint o drafferth i'r Saeson am gymaint o amser flynyddoedd mawr yn ôl). Fe fydd ein llwyddiant ni'n atseinio drwy'r sir i gyd. Fe fydd rhywbeth newydd gan y bobl cefn gwlad i edrych ymlaen ato; rhywbeth newydd i bobl y dref hefyd, wrth gwrs. Fe fydd rhaid i siopwyr y dref yma dynnu eu bysedd o'r blew wedyn. Fe fydd diwedd ar eu monopoli nhw ar bawb a phopeth.' Ac fe fuodd e bron â dweud "Haleliwia" unwaith eto. 'Fydd dim edrych i lawr trwynau ar Dafydd Williams a'i siop fach rownd y gornel eto, cymerwch chi fy ngair. A beth fydd gan Marged Bowen i'w ddweud, tybed, pan glywith hi am hyn? Fe allith hi gadw ei harian nawr.' Druan o Dafydd! Doedd e ddim yn gwybod eto mai hi oedd y tu cefn i'r holl fusnes . . .

Erbyn hyn roedd traed Nan yn sownd ar y ddaear unwaith eto.

'Cyn i ti ddechrau breuddwydio a chynllunio beth fydd yn digwydd i siopwyr eraill y dref yma, Dafydd, rydw i'n credu byddai'n well i ti fynd i weld Mr. Roberts y Cyfreithiwr i fod yn siŵr fod popeth yn iawn i ti fynd ymlaen.'

'Rydw i'n mynd i'w weld e nawr,' atebodd Dafydd, ac i ffwrdd â fe a throi'r gornel i Stryd Groes. Yna, ymlaen â fe i Swyddfa Mr. Reginald Roberts.

Fe gafodd e groeso cynnes gan y gŵr bonheddig hwnnw.

'O, bore da, Mr. Williams. Mae'n dda gen i'ch gweld chi. Rydych chi'n edrych yn sionc a llawen y bore yma, os ca i ddweud.'

'Rydw i wedi cael y newyddion da, Mr. Roberts,' atebodd Dafydd.

'O! Rydych chi wedi bod yn gweld Mr. Prys yn y banc, felly.'

'Ydw, Mr. Roberts. Fe ddwedodd e ei fod e wedi cael gair â chi, a bod y ffordd yn glir nawr i fi brynu'r Gwalia.'

Gwenodd y cyfreithiwr caredig, ond ddwedodd e ddim mai fe oedd wedi bod yn cael gair â Mr. Prys, a gair hir iawn hefyd fel mater o ffaith.

'Wel, Mr. Williams, rydw i'n meddwl eich bod chi'n ddyn dewr iawn yn meddwl am y fath fenter â hon, ond pob hwyl i chi. Nawrte, yn gynta, oes syniad gennych chi faint mae'r Gwalia'n costio i chi?'

'O, rhyw naw mil neu ddeg, Mr. Roberts. Does dim llawer o alw am adeilad fel Y Gwalia heddiw, oes e?'

'Mwy o alw nag rydych chi'n feddwl Mr. Williams. Nid chi ydy'r unig gwsmer am y lle, gyfaill, ond chi sy'n cael y dewis cynta achos mai un o'r dref ydych chi. A dydych chi ddim ymhell o'ch lle mor bell ag mae'r pris yn y cwestiwn. Deng mil ydy'r swm mae'r perchennog yn gofyn amdano. Fyddech chi'n fodlon talu deng mil amdani hi? '

'Byddwn . . . O leia, fe fyddwn i'n fodlon dim ond i'r Bombard ganiatáu'r swm,' meddai Dafydd braidd yn ofnus. Roedd sôn am filoedd o bunnoedd yn dipyn o ddychryn i Dafydd.

'Fe fydd y Bombard yn caniatáu deng mil, Mr. Williams. Ond cofiwch, fydd hi ddim yn waith hawdd i droi'r hen sinema yn siop.'

'Na fydd. Rydw i'n deall hynny, Mr. Roberts.'

'Fe fydd rhaid cael caniatâd y Cyngor yn gynta.'

'Caniatâd y Cyngor? Cyngor y Dref rydych chi'n feddwl? Pam mae rhaid cael eu caniatâd nhw? '

'Yn syml, Mr. Williams, os byddwch chi'n newid pwrpas adeilad — rydych chi'n deall, Mr. Williams, — os byddwch chi'n newid pwrpas adeilad, ac fe fyddwch chi *yn* newid pwrpas Y Gwalia wrth ei throi hi o fod yn sinema i fod yn siop, yna mae rhaid i chi gael caniatâd cynllunio — *planning permission,* chi'n gwybod, Mr. Williams. Gan y Cyngor mae cael caniatâd cynllunio.'

'O! ' meddai Dafydd yn syn. Doedd e ddim erioed wedi meddwl am y fath beth â chaniatâd cynllunio. 'Fydd hi'n anodd cael y caniatâd yma, Mr. Roberts? '

'Fe allith hi fod yn anodd. Ac mae rhaid i chi gofio un peth arall, Mr. Williams.'

'O? A beth ydy hwnnw, Mr. Roberts? '

'Fe fydd Siamber Fasnach y dref yn erbyn agor unrhyw siop newydd yn y dref, yn enwedig siop fawr fel rydych chi'n bwriadu ei hagor. Fe fyddwch chi'n mynd â'u busnes nhw oddi arnyn.'

'Beth allith y Siamber Fasnach ei wneud, Mr. Roberts? '

'Fe allith y Siamber *geisio* gwneud llawer o bethau.'

'O! ' meddai Dafydd a'i galon e'n dechrau suddo i lawr i'w esgidiau.

'Ond rydych chi'n lwcus iawn o un peth, Mr. Williams.'

'Beth ydy hwnnw? ' gofynnodd Dafydd a'i lais e'n wan.

‘Dim ond un siopwr sy ar Gyngor y Dref.’

‘Wel?’

‘Mae’r peth yn amlwg, Mr. Williams,’ meddai Mr. Roberts er nad oedd dim yn amlwg iawn i Dafydd. ‘Fe fydd y siopwr yma sy ar y Cyngor yn gwneud ei orau glas i’ch rhwystro chi rhag cael caniatâd cynllunio. Ac fe fydd siopwyr y dref y tu cefn iddo fe. Mae rhaid i’ch cynlluniau chi basio’r Cyngor, wel, Pwyllgor Cynllunio’r Cyngor. Allwch chi wneud dim heb ganiatâd y Cyngor.’

Fe ddaeth cwmwl dros haul Dafydd Williams, ond yn sydyn, fe gofiodd e un peth pwysig iawn, sef bod Mr. Roberts ei hun ar y Cyngor.

‘Rydych chi ar y Cyngor eich hun, Mr. Roberts!’ Neidiodd y geiriau o wefusau Dafydd, gwefusau sych iawn erbyn hyn. Gwenodd Mr. Roberts drwy ei sbectol aur.

‘Ydw, rydw i ar y Cyngor.’

‘Ac fe fyddwch chi’n gwneud eich gorau drosto i?’

‘Wrth gwrs, Mr. Williams. Rydych chi’n lwcus iawn, a dweud y gwir, achos dynion sy’n gweithio yn y ddwy ffatri ydy’r rhan fwya o’r dynion sy ar y Cyngor, a gyda rhai ffermwyr, fe fyddan nhw i gyd y tu cefn i chi, rydw i’n siŵr. Ac fe ga i air â nhw. Fe fydd hynny’n help mawr, rydw i’n credu.’

Fe ddechreuodd calon Dafydd godi o’i esgidiau. Dyma ŵr bonheddig, os buodd un erioed.

‘O, diolch, diolch, DIOLCH, Mr. Roberts,’ meddai Dafydd a’i lais e’n codi yn un *crescendo* fawr. ‘Fydd hi ddim yn anodd, felly, cael caniatâd os byddwch chi’n siarad drosto i.’ Roedd Dafydd yn gwybod yn dda pa mor barod oedd pobl y dref i wrando ar eiriau Reginald Roberts.

‘Mae rhaid i ni beidio â bod yn rhy siŵr, Mr. Williams. Fe allith pob math o bethau ddigwydd. Mae rhaid i ni symud yn araf a gofalus.’

Fe gafodd Dafydd ei synnu braidd gan gwestiwn nesa Mr. Roberts. Roedd e newydd sôn am symud yn araf a gofalus, ond dyma fe’n gofyn yn sydyn, —

'Ydych chi wedi meddwl am bensaer, Mr. Williams, i gynllunio'r gwaith?'

'Rydw i'n gwybod bydd eisiau pensaer, Mr. Roberts, ond dydw i ddim wedi meddwl am neb yn arbennig.'

'Wel, rydw i'n gwybod am bensaer da iawn. Hoffech chi i fi ofyn iddo fe gynllunio'r gwaith?'

Wrth gwrs, fe hoffai Dafydd iddo fe wneud hynny.

Dyna gwestiwn arall wedyn.

'Ydych chi wedi meddwl am adeiladwyr — *builders and contractors,* chi'n gwybod, Mr. Williams — i wneud y gwaith wedi iddo fe gael ei gynllunio?'

Doedd Dafydd ddim wedi meddwl am unrhyw gwmni arbennig.

'Wel, rydw i'n gwybod am gwmni o adeiladwyr ardderchog, ac maen nhw'n weithwyr cyflym iawn. Hoffech chi i fi drafod y busnes adeiladu gyda'r cwmni yma, Mr. Williams.'

Wrth gwrs, fe hoffai Dafydd iddo fe wneud hynny hefyd. Haleliwia! Roedd y dyn yma'n gwneud popeth mor hawdd iddo fe unwaith eto. Roedd e'n gallu gadael popeth bron yn nwylo'r dyn annwyl, annwyl yma. Roedd teimladau Dafydd bron yn ormod iddo fe. Roedd arno fe eisiau crio!

'D . . . D . . . Diolch yn fawr i chi, Mr. Roberts. Alla i ddim byth ddiolch i chi,' meddai Dafydd, ac fe fyddai fe'n siŵr o roi dau ddarn deg ceiniog ar y plât casglu y tro nesa byddai Mr. Roberts yn dod heibio iddo fe yn Nebo.

'Wel, dyna ni, te, Mr. Williams. Fe allwch chi adael popeth yn fy nwylo i nawr,' gwenodd y cyfreithiwr.

'Galla, Mr. Roberts, galla. O, rydych chi wedi bod yn garedig dros ben. "Bydd canu yn y nefoedd", Mr. Roberts.'

'Bydd, Mr. Williams,' atebodd Mr. Roberts a'i wên gynnes yn codi lwmpyn yng ngwddw Dafydd. 'Dydd da nawr.' Ac estynnodd y dyn "annwyl" ei law i Dafydd.

'Dydd da, Mr. Roberts.' Yna'n sydyn, 'Does dim rhaid i fi roi f'enw i wrth unrhyw bapurau neu ddogfennau nawr, oes e, Mr. Roberts?'

'O, twt, nac oes. Does dim angen i ni boeni am bethau fel yna nawr. Mae digon o amser.'

'Dydd da, te, Mr. Roberts,' meddai Dafydd a bacio'n ôl at ddrws y swyddfa yn wên o glust i glust.

Am yr ail waith y diwrnod hwnnw, fe redodd Dafydd adref bob cam i'r siop rownd y gornel. Roedd e'n barod i chwarae *Ring o' Roses* unwaith eto gyda Nan — ac Olwen, wrth gwrs.

Ac wedi iddo fe fynd o'i stafell, fe wenodd Reginald Roberts yn dawel wrtho'i hun. Nid yn aml roedd e'n 'gwerthu' yr un adeilad ddwywaith mewn un wythnos. Ond fel yna roedd Marged Bowen wedi dymuno iddo fe'i wneud.

12

SÔN A SIARAD

Erbyn hyn, wrth gwrs, roedd yr hen Walia wedi cau. Roedd ei dyddiau fel sinema wedi dod i ben. Roedd yn ddrwg iawn gan lawer weld ei chau achos roedd hi wedi bod yn rhan mor bwysig o fywyd y dref. Roedd llawer rhamant wedi dechrau a blodeuo yn ei seddau cefn — llawer rhamant arall wedi stopio'n sydyn! Ond er ei bod hi'n ddrwg gan lawer ei gweld hi'n cau, doedd neb bron yn torri ei galon. Doedd y perchennog ddim yn gallu talu'r arian mawr roedd ei eisiau i gael ffilmiau modern, diweddar. Yn wir, roedd y ffilmiau oedd yn cael eu dangos yn Y Gwalia mor hen â'r ffilmiau oedd yn cael eu dangos ar y teledu bob nos, ac mae hynny'n dweud llawer. Felly, pam talu ugain ceiniog i weld hen ffilm pan oeddech chi'n gallu gweld yr un hen bethau gartref wrth eich tân eich hunain? A dweud y gwir, roedd tywyllwch Y Gwalia'n apelio'n fwy na'r ffilmiau, yn arbennig felly pan oedd hi'n bwrw glaw neu'n oer allan. Roedd hi'n fwy o neuadd garu nag o sinema erbyn hyn.

Wrth gwrs, wedi ei chau, roedd pob math o sôn a siarad beth oedd yn mynd i ddigwydd i'r hen adeilad. Roedd rhai'n dweud mai cael ei dynnu i lawr byddai'r hen le a bod y Cyngor — Cyngor y Dref — yn bwriadu adeiladu Neuadd y Dref newydd yno; eraill yn dweud mai rhyw hen ddyn o Gaerarfor oedd wedi prynu'r lle er mwyn ei droi'n neuadd bingo — rhyfedd fel roedd pobl wedi dod i wybod am ymweliad Shadrach Jones â'r dref. Roedd cael neuadd bingo'n apelio'n fawr at rai pobl. Ond yn fuan, fe ddaeth pawb i wybod mai siop fawr, fodern fyddai'n cymryd lle yr hen sinema. Ddwedodd Dafydd Williams na Nan nac Eirwen ddim un gair wrth neb, ond roedd Olwen Morgan wedi dweud wrth ei mam, ac roedd hynny'n ddigon.

Cyn pen dim amser roedd pawb drwy'r dref a'r ardal yn gwybod mai Dafydd Williams oedd wedi prynu'r Gwalia, a bod y banc wedi rhoi benthyg arian iddo fe at y pwrpas — deng mil o bunnoedd, meddai rhai; pymtheng mil, meddai eraill; ugain mil, meddai eraill eto; roedd y swm yn codi o ddydd i ddydd. Ac er bod y symiau arian yn newid o berson i berson, yr un cwestiwn oedd gan bawb — sut yn y byd mawr roedd dyn fel Dafydd Williams wedi cael y banc i roi benthyg arian iddo fe? Roedd pawb yn gwybod ei fod e a'i wraig mor dlawd â llygod eglwys, er bod gobeithion ganddi hi, Mrs. Williams, achos mai hi oedd unig berthynas yr hen wraig od yna o Bont-y-Pandy. Roedden nhw'n gwybod fod digon o arian ganddi hi achos ei enw hi oedd ar lyfrau rhent llawer iawn ohonyn nhw.

Fe aeth llawer mor bell â dweud mai hi, yr hen wraig, oedd y tu cefn i'r holl beth. On'd oedd rhywun wedi ei gweld hi'n mynd ar frys mawr i mewn i swyddfa Reginald Roberts un diwrnod, yr un diwrnod ag roedd yr hen ddyn tal yna o Gaerarfor wedi bod yn gweld Reginald Roberts? Roedd hi'n anodd cuddio dim oddi wrth neb yn Nhalfynydd; roedd pawb yn gwybod busnes pawb arall. Ac os nad oedd pobl yn siŵr o'u ffeithiau, roedd hi'n ddigon hawdd gwneud stori, on'd doedd hi?

Beth bynnag am hynny, roedd pawb oedd wedi cwrdd â Mrs. Mam Olwen Morgan wedi cael y ffeithiau, ac roedd hi wedi mynd allan o'i ffordd i gwrdd â phobl. On'd oedd ei Holwen hi'n chwarae rhan bwysig yn y ddrama fawr? On'd oedd Dafydd Williams wedi gofyn yn barod i Olwen fod yn *fanageress* ar yr adran ddillad — dillad merched, wrth gwrs — yn y siop newydd? Doedd Dafydd Williams ddim wedi dweud y fath beth, na dim byd tebyg i hynny.

Ymhen wythnos neu ddwy, roedd pawb yn Nhalfynydd yn gwybod i sicrwydd, pwy bynnag oedd yn rhoi benthyg yr arian iddo fe, mai Dafydd Williams-siop-rownd-y-gornel oedd yn mynd i agor siop fawr newydd yn yr hen sinema. On'd oedd pobl yn ei weld e bob dydd bron yn mynd i mewn i swyddfa Reginald Roberts? Ac on'd oedd y wraig yn y sedd nesa i Dafydd yn Nebo wedi ei weld e'n rhoi dau ddarn deg ceiniog ar y plât casglu? Dim ond dyn a digon o arian ganddo fe neu siopwr mawr oedd yn gallu gwneud hynny. Ac roedd Maggie Teliffon yn gwybod llawer oedd yn mynd ymlaen, a doedd dim brêcs ar ei thafod hi byth.

Fe ddaeth y newyddion fod Dafydd yn mynd i agor siop-farchnad fawr i glustiau Siamber Fasnach y dref, wrth gwrs, a mawr oedd y sôn a'r siarad a'r trafod rhwng aelodau'r Siamber honno. Roedd rhaid rhoi stop ar yr holl fusnes unwaith ac am byth neu fe fyddai pob siopwr yn y dref yn ddi-waith mewn byr amser — medden nhw, aelodau'r Siamber. Doedd Dafydd ei hun ddim yn aelod. Doedd ei siop fach e ddim yn ddigon mawr a phwysig i ganiatáu iddo fe le yn y Siamber.

Y dyn pwysica yn y Siamber y dyddiau hynny oedd Lewis Phillips y siop esgidiau. Fe oedd yr unig aelod o'r Siamber oedd yn aelod hefyd o Gyngor y Dref. Roedd pawb yn ei ben e, felly, iddo fe wneud rhywbeth i rwystro'r cyw siopwr yma rhag tyfu'n rhy fawr i'w esgidiau. Roedden nhw'n ddigon o wŷr busnes i wybod fod rhaid i Dafydd Williams gael caniatâd cynllunio, a'r unig rai oedd yn gallu rhoi'r caniatâd yma iddo fe oedd Cyngor y Dref, a dyna'r lle, felly, i'w rwystro fe rhag symud cam ymlaen â'i gynlluniau — yng Nghyngor y Dref. Roedd yn ddrwg iawn gan lawer o aelodau'r Siamber eu bod nhw ddim wedi cymryd mwy o ddiddordeb ym mhethau'r dref yn lle eistedd ar eu pen-ôl yn y tŷ yn edrych ar y teledu yn y gaeaf, ac yn chwarae bowls yn yr haf. Roedd yn ddrwg ganddyn nhw yn eu calonnau. Roedden nhw'n gwybod yn iawn, mewn rhai trefi, mai aelodau'r Siamber oedd aelodau'r Cyngor hefyd. Ond nawr, dim ond un dyn oedd ganddyn nhw i ymladd drostyn nhw yn y Pwyllgor Cynllunio. Roedd Phillips Esgidiau yn aelod o'r pwyllgor hwnnw. O, roedd bywyd yn galed arnyn nhw, a ffawd wedi chwarae tric brwnt arnyn nhw.

Fel gallwch chi feddwl, doedd Prys y Banc a Roberts Cyfreithiwr ddim yn boblogaidd iawn gan aelodau'r Siamber. Fe ddwedodd llawer un ohonyn nhw byddai fe'n mynd â'i gownt o'r Bombard, ond roedd Prys yn gwybod yn ddigon da mai geiriau gwag oedd y rhain i gyd. Doedd dim un banc arall gwerth yr enw yn Nhalfynydd; a pheth arall, roedd Prys yn ddigon cyfrwys i wybod sut i'w trafod nhw i gyd, ac roedd e'n gwybod sut i ddefnyddio'r llais tenor hyfryd roedd Duw wedi ei roi iddo fe. Roedd y llais, heb anghofio'r wên barod hefyd, wedi ennill llawer cwsmer i'r Bombard; fe ddefnyddiodd e lawer ar y llais hefyd i gadw'r cwsmeriaid. Roedd ei dafod ffals yn help hefyd. Fydda fe ei hun, meddai fe ('ond cadwch y peth yn dawel, os gwelwch yn dda') ddim byth wedi rhoi benthyg arian i Dafydd Williams — (on'd oedd e wedi gwrthod unwaith?) — ond gan rywun uwch hyd yn oed na fe roedd y gair ola ar y mater. Roedd pawb yn credu wedyn mai rhywun uwch o brif swyddfa'r banc oedd wedi caniatáu'r benthyciad.

Am Reginald Roberts, wel, doedd e'n poeni dim am neb. Roedd e'n gwybod mor boblogaidd oedd e yn y dref; roedd e'n gwybod hefyd mai fe oedd y cyfreithiwr gorau yn y dref, ac roedd pawb arall yn gwybod mai fe oedd yr unig gyfreithiwr gonest o fewn milltiroedd i Dalfynydd. Er na fuodd e, wel . . . ddim mor boblogaidd am wythnos neu ddwy, chollodd e ddim un geiniog o fusnes na'r un cwsmer chwaith.

Tra oedd Siamber Fasnach y dref yn gwneud ei gorau glas i rwystro Dafydd Williams rhag mynd ymlaen â'i gynlluniau, roedd bywyd Dafydd, wrth gwrs, yn llawn iawn. Fe fyddai popeth dan haul, bron, yn cael ei werthu yn y siop; fe fyddai adran fwydydd, adran ddillad, adran gig, adran lestri; adran i bopeth. Roedd digon o le i bopeth, ac fe fyddai'r siop yn farchnad ynddi ei hun — siop-farchnad oedd hi i fod, wrth gwrs. Ac roedd digon o syniadau da gan Nan ac Eirwen, heb anghofio Olwen, ac fe fuon nhw'n gwario oriau yn trafod a chynllunio, yn meddwl a dymuno, a phawb yn hapus. Yn wir, dyma'r dyddiau hapusa erioed ym mywyd Dafydd Williams.

Roedd un peth yn synnu Dafydd, sef pa mor aml roedd Modryb Marged Bowen yn taro heibio. Roedd hi'n 'digwydd' bod yn y dref yn amlach na'r arfer yn ystod y dyddiau yma, a phob tro, roedd rhaid iddi hi daro heibio i weld yr 'unig berthnasau oedd ganddi hi yn y byd'. Peth digon naturiol. Roedd hi wrth ei bodd yn trafod y cynlluniau ar gyfer y siop newydd gyda'r teulu. Roedd Dafydd yn synnu cymaint o ddiddordeb oedd ganddi hi yn y fenter newydd a hithau wedi bod mor gas tuag ato fe pan aeth e i ofyn am fenthyg arian ganddi hi. Soniodd hi ddim unwaith chwaith am y geiriau anfoneddigaidd roedd Dafydd wedi eu defnyddio pan oedd e'n ei gadael hi y tro hwnnw. Roedd hi'n barod iawn i gynnig ei syniadau ei hunan ar gyfer y siop hefyd. A doedd hi ddim byth yn dweud fod 'rhaid' i Dafydd wneud hyn ac arall — dyna'i harfer hi bob amser yn y gorffennol — ond roedd pob brawddeg ganddi hi nawr yn dechrau gyda 'Wel, fe hoffwn i weld . . .' ac yn y blaen. Roedd hi'n cael ei ffordd yn aml ac roedd hynny'n ddigon teg, achos, er nad oedd Dafydd yn gwybod hynny ar y pryd, hi oedd ei 'fechnïaeth', hi oedd ei 'warant' yn y banc.

Dyddiau hapus, dyddiau llawn llawenydd oedd y dyddiau yma i Dafydd a'i deulu. Yr unig ofn yng nghalon Dafydd oedd efallai na fyddai'r Cyngor yn rhoi caniatâd iddo fe. Ond Reginald Roberts oedd yn gofalu am yr ochr yna i'r busnes, ac roedd yn amhosibl cael dyn gwell. Dyn oedd yn gwybod ei 'bethau' oedd Mr. Roberts, ac felly, roedd llwyddiant yn siŵr o ddod.

13

CYNLLUNIAU A CHYNLLUNIO

Fe aeth yr wythnosau heibio'n araf a Dafydd Williams a'i deulu'n llawn prysurdeb, ac o'r diwedd fe ddaeth y dydd mawr — y dydd pan oedd Pwyllgor Cynllunio Cyngor y Dref yn cwrdd i roi caniatâd, neu i beidio â'i roi, i gais Dafydd Williams i droi'r hen sinema, Y Gwalia, yn siop.

Roedd Mr. Reginald Roberts a'r pensaer wedi bod wrthi'n brysur dros ben ymlaen llaw. O weld y cynlluniau llawn, hynny ydy, sut byddai'r siop yn edrych y tu mewn a'r tu allan wedi i'r gwaith gael ei orffen, fe fyddai'r Pwyllgor Cynllunio'n fwy tebyg o ganiatáu'r cais. Felly, beth welodd aelodau'r pwyllgor pan ddaethon nhw i'w stafell arbennig yn Neuadd y Dref, oedd cynlluniau'r pensaer ar gyfer y siop, ac roedd y rhain wedi eu trefnu'n dwt a thaclus ar waliau'r stafell. Hefyd, roedd yno fodel o'r siop ar fwrdd yn dangos sut byddai hi'n edrych wedi ei gorffen. Ac mae rhaid dweud ar unwaith fod y pensaer wedi gwneud ei waith yn arbennig o dda. Roedd y Swyddog Cynllunio wedi gweld a phasio'r cynlluniau'n barod, a doedd e ddim yn perthyn i Reginald Roberts na Dafydd Williams, na neb o'r cynghorwyr, ac mae hynny'n ddigon i ddangos mor dda oedd y cynlluniau.

'Ardderchog', 'Rhagorol', a geiriau tebyg oedd gan bob un o'r cynghorwyr pan welson nhw'r lluniau a'r model. Un peth mawr oedd yn eu plesio nhw oedd fod y pensaer wedi llwyddo i gadw 'cymeriad' y lle. Doedd dim byd rhy newydd a modern yn y ffordd y byddai'r siop newydd yn edrych.

Digon ydy dweud nawr fod pawb o'r Pwyllgor yn barod ac yn fodlon i roi caniatâd i gynlluniau Dafydd Williams i wneud siop fawr o'r hen sinema; hynny ydy, pawb ond un, a'r un hwnnw oedd Lewis Phillips Esgidiau. Fe geisiodd e ddangos nad oedd dim eisiau'r fath siop yn y dref o gwbl; fe fyddai'n well troi'r hen adeilad yn glwb i'r bobl ifanc neu rywbeth. Ond, fel dwedodd un o'r cynghorwyr, roedd dau glwb yn y dref yn barod, un ymhob un o'r ddwy ffatri, heblaw am Aelwyd yr Urdd oedd yn cwrdd yn Festri Nebo ddwywaith yr wythnos. Na, roedd digon o glybiau i'r ifanc yn Nhalfynydd. Fe hoffai fe, y cynghorwr arbennig yma, yn fawr weld y siop yn agor, ac yn fuan hefyd, achos fe fyddai hi o werth mawr yn y dref. Roedd e'n barod i gynnig eu bod nhw fel pwyllgor yn rhoi eu caniatâd i gais Dafydd Williams. Roedd un arall yn barod i eilio ar unwaith, ac er bod nifer o wŷr y Siamber Fasnach wedi bod yn gweithio'n galed ar rai o aelodau'r Pwyllgor — roedd un cynghorwr wedi cael cynnig sachaid o datws gan Pugh Greengrocer; un arall wedi cael cynnig cig cinio dydd Sul am flwyddyn gan Jones y Cigydd, ac roedd pâr o esgidiau newydd yn aros ar un o silffoedd Lewis Phillips i gynghorwr arall — fe gafodd Dafydd Williams ganiatâd i fynd ymlaen â'r gwaith.

Chafodd Lewis Phillips neb i'w eilio fe, ddim hyd yn oed y cynghorwr roedd e wedi cynnig pâr o esgidiau iddo. Dynion gonest oedd cynghorwyr Talfynydd i gyd. Fyddai dim un ohonyn nhw'n breuddwydio derbyn cil-dwrn gan neb, ond efallai na fydden nhw'n troi eu trwynau ar beint bach yn Y March Du.

'Dyna ni, te,' meddai Cadeirydd y Pwyllgor. 'Does neb yn eilio Lewis Phillips. Felly, pawb sy dros y cynnig, codwch eich dwylo.'

Cododd pawb eu dwylo — pawb ond Lewis Phillips, wrth gwrs.

'Dyna ni, te,' meddai'r Cadeirydd. 'Rydyn ni'n rhoi ein caniatâd i Mr. Dafydd Williams, ac yn dymuno pob llwyddiant iddo fe yn ei fenter fawr. Fe fydd y cynlluniau nawr yn mynd i'r Swyddog Adeiladu i weld eu bod nhw'n cadw at y rheolau adeiladu, ond dydw i ddim yn meddwl bydd e'n codi unrhyw rwystr ar ôl iddo fe weld y lluniau a'r model yma. Dim ond ffŵl fyddai'n gwrthod y rhain.'

Fe gododd Lewis Phillips ei glustiau pan glywodd e hyn, ond ffŵl neu beidio, tybed oedd e'n gweld fflach o obaith fan yma. Roedd e'n nabod y Swyddog Adeiladu'n dda iawn. Roedd e'n un o'i gwsmeriaid. Fe fyddai rhaid iddo fe fynd i'w weld e. Efallai byddai pâr o esgidiau'n rhad ac am ddim yn llwyddiannus gyda fe . . .

Yn syth ar ôl y cyfarfod, fe aeth Reginald Roberts i'r siop fach rownd y gornel i roi'r newyddion da i Dafydd Williams. A dyna lle roedd llawenydd mawr, a Dafydd a Nan ac Eirwen ar ben eu digon. Yn rhyfedd iawn, roedd Modryb Marged Bowen yn digwydd bod yno ar y pryd. A chymaint fuodd y siarad a'r chwerthin yno, fel y collodd hi'r bws olaf adref i Bont-y-Pandy. Fe gynigiodd Nan wely iddi hi dros nos, ond na, doedd mo angen y gwely. Roedd Mr. Roberts am fynd â hi adref yn ei gar. Roedd rhyw syniad gan Nan fod ei modryb wedi bwriadu colli'r bws er mwyn i Reginald Roberts fynd â hi adref, a bod ganddi hi rywbeth arbennig i'w ddweud wrth y dyn. Doedd Nan ddim yn dwp nac yn ddall.

Roedd y ffordd yn glir nawr i alw'r adeiladwyr i mewn, ond meddai Mr. Roberts fel roedd e'n mynd at y drws gyda Marged Bowen, —

'Fe fydd rhaid dangos y cynlluniau i'r Swyddog Adeiladu yn Neuadd y Dref i fod yn siŵr fod pob rheol adeiladu'n cael ei chadw, ond rydw i'n siŵr na fydd e ddim yn codi unrhyw rhwystr. Mae'r pensaer wedi bod yn ofalus iawn i gadw at y rheolau, ac felly, does dim i'w ofni. Fe allwch chi i gyd gysgu'n dawel heno gan wybod ein bod ni wedi dod dros y rhwystr penna — y Pwyllgor Cynllunio. Roedd arna i ofn efallai byddai'r Siamber Fasnach wedi ceisio dylanwadu ar rai o'r cynghorwyr, ond os ceision nhw, lwyddon nhw ddim. Dynion gonest ydy'n cynghorwyr ni,' ac roedd gwên ar wyneb Reg. Roberts. Doedd e ddim wedi agor ei geg drwy'r cyfarfod. Doedd dim angen iddo fe. Roedd e wedi gwneud ei waith yn gyfrwys iawn cyn y cyfarfod.

Fe aeth Mr. Roberts ymlaen, —

'Fe fydda i'n gweld y Swyddog Adeiladu cyn diwedd yr wythnos, ac rydw i wedi trefnu gyda'r adeiladwyr i ddechrau ar eu gwaith ddydd Llun nesa.'

Ar ben eu digon? Oedd, roedd y teulu i gyd yn barod i neidio a chanu o lawenydd, a doedd neb yn y byd fel Mr. Reginald Roberts.

'Nos da nawr,' meddai'r dyn mawr. 'Ydych chi'n barod, Miss Bowen?'

Oedd, roedd Miss Bowen yn barod, ac i ffwrdd â hi adref i Bont-y-Pandy gyda Mr. Roberts yn ei gar. Roedd hi wrth ei bodd, a digon teg oedd iddi hi gynnig gwydraid bach o frandi iddo fe cyn iddo fe gychwyn ar ei ffordd yn ôl i Dalfynydd — i gynhesu ei galon e ac i ddiolch iddo fe ar yr un pryd.

'I Siop Gwalia!' meddai hi gan daro ei gwydr hi yn erbyn ei wydr yntau, ac fe gaeodd hi un llygad.

'Siop Gwalia!' meddai yntau, ac fe gaeodd e un llygad. Roedd y ddau yma'n deall ei gilydd i'r blewyn.

Fe ddwedodd Reginald Roberts ei fod e'n bwriadu mynd i weld y Swyddog Adeiladu cyn diwedd yr wythnos. Roedd person arall yn bwriadu ymweld â'r swyddog hwnnw yfory nesa, a'r person hwnnw oedd Lewis Phillips Esgidiau. Ond cyn mynd fe edrychodd e'n ofalus o amgylch silffoedd ei siop. Roedd e'n nabod y swyddog yn dda iawn — o leia, roedd e'n meddwl ei fod e'n ei nabod e. Roedd e'n gwybod beth oedd maint ei draed e a'r math o esgidiau roedd e'n eu hoffi. On'd oedd e'n un o'i gwsmeriaid ffyddlon? A! Dyna bâr o esgidiau yn y bocs acw! Fe fyddai'r Swyddog Adeiladu wrth ei fodd gyda'r pâr yna. Felly, fe wnaeth Lewis Phillips barsel taclus o'r bocs ac i ffwrdd â fe tua Neuadd y Dref a'r bocs dan ei fraich.

Roedd ffawd yn gwenu arno fe; roedd y swyddog yn ei stafell ar ei ben ei hun.

'Bore da, Mr. Griffith (dyna enw'r swyddog.),' meddai'r dyn siop esgidiau yn wên ac yn fêl i gyd. 'Prysur iawn y bore yma, rydw i'n gweld.'

'Mae digon i'w wneud yma,' atebodd Mr. Griffith braidd yn gwta. Roedd gwaith go anodd ganddo fe ar ei ddwylo. 'Alla i'ch helpu chi mewn unrhyw ffordd, Mr. Phillips?'

'Wel . . . ym . . . meddwl roeddwn i . . . ym . . . efallai hoffech chi weld y pâr esgidiau yma sy gen i yn y parsel . . .' dechreuodd Lewis Phillips.

'Pan fydd arna i eisiau pâr o esgidiau, Mr. Phillips, fe fydda i'n dod i'r siop atoch chi. Does dim angen i chi ddod yma fel . . . fel rhyw bacmon.'

'Ond mae'r rhain yn bâr arbennig, Mr. Griffith,' meddai Phillips a'r mêl ar ei wefusau o hyd. 'Pan ddaethon nhw i'r siop, fe feddyliais i amdanoch chi'n syth. Maen nhw y maint iawn i chi ac roeddwn i'n meddwl, "Dim ond un person allith wisgo'r rhain, a'r person hwnnw ydy Mr. Griffith, y Swyddog Adeiladu." Mae yma gymeriad i'r esgidiau yma — cymeriad i siwtio'ch cymeriad chi, Mr. Griffith. Dydw i ddim yn rhoi esgidiau da am draed pawb, Mr. Griffith. Hen ddyn garw — wel, esgidiau garw iddo fe; ond i ŵr bonheddig fel chi, Mr. Griffith — wel, esgidiau bonheddig, siŵr iawn; a welsoch chi ddim erioed esgidiau mor fonheddig â'r rhain, Mr. Griffith. Rydw i'n artist yn fy ngwaith, fel rydych chi, syr, yn eich gwaith chi, syr, ac rydw i'n gwybod pwy sy gallu gwisgo beth.'

Tra oedd e'n clebran fel hyn, roedd e'n araf ac yn dawel yn tynnu'r papur oddi am y bocs, a Mr. Griffith yn chwarae tap-tap â'i bensil ar ei ddesg. Roedd gwaith pwysicach ganddo fe na gwrando ar y ffŵl yma.

'Ydw, ydw; rydw i'n gwybod eich bod chi'n artist yn eich gwaith o werthu esgidiau, Mr. Phillips, ond does arna i ddim eisiau pâr newydd ar hyn o bryd. Bore da i chi nawr,' meddai'r Swyddog Adeiladu.

Ond erbyn hyn roedd Lewis Phillips wedi agor y bocs a thynnu'r esgidiau allan a'u dodi yn eu holl harddwch ar ddesg Mr. Griffith. Ac yn wir, roedden nhw'n bâr hardd.

Roedd rhaid i'r swyddog edrych arnyn nhw. Fe fydden nhw'n mynd yn rhagorol gyda'i siwt orau fe. Ond pam meddwl y fath beth nawr? Roedd digon o barau o esgidiau ganddo fe'n barod, ac fe fyddai fe'n falch cael cefn y siopwr yma.

Ond roedd y siopwr wedi ail-ddechrau clebran.

'Hoffech chi eu trio nhw ar eich traed, Mr. Griffith? Fe fyddan nhw'n eich ffitio chi fel dwy faneg, a dydyn nhw ddim yn ddrud, — wel, fyddan nhw ddim yn ddrud i chi, Mr. Griffith,' meddai'r siopwr a'r mêl yn llifo dros ei wefusau.

Roedd rhaid i Griffith ofyn y pris wedyn.

'Beth ydy eu pris nhw, te?'

'Wyth punt,' atebodd Lewis Phillips.

'Wyth punt?' meddai'r swyddog. 'Ond rydych chi'n dweud eu bod nhw ddim yn ddrud! Mae wyth punt y tu hwnt i fy mhoced i.'

'Fyddan nhw ddim yn costio wyth punt i chi, Mr. Griffith.'

'O?' meddai Mr. Griffith, braidd yn gwta eto. 'Neb eisiau eu prynu nhw yn eich siop chi, e?'

'Na; fyddan nhw ddim yn costio dim i chi, Mr. Griffith,' meddai'r siopwr a gwên ffals ar ei wyneb. 'Rydw i'n eu rhoi nhw yn rhad ac am ddim i chi.'

Roedd Mr. Griffith yn glustiau i gyd nawr.

'Yn rhad ac am ddim?'

Roedd rhywbeth y tu ôl i hyn i gyd, a dyma fe'n gofyn, —

'Pam rydych chi'n cynnig yr esgidiau yma i fi am ddim, Mr. Phillips? Dydw i ddim yn meddwl eich bod chi dan unrhyw ddyled i fi.'

'Wel, nac ydw,' atebodd y siopwr esgidiau gan droi'r mêl ymlaen unwaith eto. 'Ond mae yna fater bach lle gallwch chi, efallai, fy helpu i.'

'O?' meddai Mr. Griffith yn gwta iawn. 'A beth ydy hwnnw?'

'Wel, fel rydych chi'n gwybod, mae'n debyg, mae Dafydd Williams — rydych chi'n nabod y dyn, rydw i'n siŵr. Mae e'n cadw siop fach rownd y gornel o Stryd Groes — wel, mae e'n mynd i dreio agor siop lle mae'r hen Walia'n sefyll nawr. Wel, hoffwn i ddim gweld dyn bach gonest fel fe'n tynnu'r byd yn rhacs am ei ben, achos dyna beth fydd yn digwydd iddo fe. Does dim syniad ganddo fe sut i redeg siop fach dwy a dimai heb sôn am *supermarket* fel mae e'n bwriadu ei hagor. Fe fyddai'n gymwynas â'r dyn ei rwystro fe rhag gwneud ffŵl ohono'i hun. Ydych chi ddim yn meddwl, Mr. Griffith? Cymwynas rydw i'n ei ddweud, Mr. Griffith. Cymwynas.'

'Ewch ymlaen, Mr. Phillips,' meddai Griffith yn llawn diddordeb nawr. Pa dric ffals oedd gan y siopwr yma yn ei feddwl, tybed?

Roedd Phillips yn barod iawn i fynd ymlaen.

'Meddyliwch sut bydd hi ar ei wraig a'i ferch, ac mae hi'n ferch dda iawn yn yr ysgol, meddan nhw. Fe fyddai'n gymwynas rhoi stop ar ffolineb yr hen Williams druan cyn iddo fe eu tynnu nhw i lawr i ganol y baw gyda fe'i hun,' meddai Phillips a'i lais e bron â thorri, roedd e dan gymaint o deimlad. 'Rydw i'n teimlo drostyn nhw, Mr. Griffith bach. Ydw, wir.'

'Ydych, Mr. Phillips *bach*. Ydych, rydw i'n gweld. Mae'n biti dros yr hen frawd. Druan ohono fe! Beth hoffech chi i fi ei wneud, Mr. Phillips?'

Roedd Mr. Phillips ar ben ei ddigon. Roedd e wedi cael clust y swyddog yma.

'Wel,' meddai fe, 'y gymwynas fyddai rhoi pob rhwystr sy'n bosibl ar ei ffordd e rhag mynd ymlaen â'i gynlluniau gyda'r siop yma. Mae'r cynlluniau wedi cael caniatâd y Pwyllgor Cynllunio — neithiwr, fel mater o ffaith — a chi ydy'r dyn allith roi'r rhwystrau yma ar ei ffordd e nawr. Chi'n gweld beth sy gen i, Mr. Griffith bach? Does dim rhaid i fi ddweud rhagor, nac oes?'

'Nac oes, nac oes, Mr. Phillips. Rydw i'n eich deall chi'n iawn,' meddai Mr. Griffith.

'Roeddwn i'n meddwl byddech chi. Does dim angen llawer o eiriau rhwng dau ddyn call fel chi a fi, Mr. Griffith bach.'

'Ac felly, rydw i'n cael y pâr esgidiau yma'n rhad ac am ddim, dim ond i fi . . . wel, chi'n deall, Mr. Phillips.'

'Dyna fe, Mr. Griffith. A diolch yn fawr i chi. Rydych chi wedi bod yn garedig iawn . . . yn garedig dros ben. Piti am Dafydd Williams, yntê? Mae e'n gymaint o ffŵl, on'd ydy e?'

'Piti amdanoch chi hefyd, Lewis Phillips,' meddai Mr. Griffith, ac roedd ei lais e wedi newid nawr. 'Dyma beth rydw i'n ei feddwl ohonoch chi a'ch esgidiau.'

Fe gydiodd e yn y pâr hyfryd o esgidiau oedd yn sefyll mor dwt ar ei ddesg. Yna, fe aeth e at y ffenest a'i hagor hi a thaflu'r esgidiau drwyddi hi.

'A dyna'r drws, Lewis Phillips! Ewch drwyddo ar unwaith, neu fe fydda i'n plannu'r esgid dde yma yn eich pen-ôl.'

Symudodd Lewis Phillips ddim erioed yn gyflymach nag y gwnaeth e'r munud hwnnw . . .

Y dydd Llun wedyn, fe ddechreuodd yr adeiladwyr ar y gwaith mawr o newid wyneb a phwrpas yr hen Walia.

14

EIRWEN A'I SYNIADAU

Wythnosau prysur dros ben fuodd yr wythnosau nesa i Dafydd Williams — ac i bawb arall o'r teulu, wrth gwrs. Roedd rhaid archebu stoc ar gyfer y siop newydd a gwaith mawr oedd hwnnw ynddo'i hun, a gwaith costus. Roedd Dafydd yn synnu cymaint o stoc fyddai ei angen os oedd e am lanw'r silffoedd a'r cownterau roedd yr adeiladwyr yn eu prysur ddodi yn y siop. Roedd e wrthi ddydd a nos bron, gyda help Nan ac Eirwen, yn gwneud rhestri o'r pethau angenrheidiol, ac roedd e'n dychryn braidd wrth weld y costau'n codi, codi nes eu bod nhw'n filoedd o bunnoedd. Roedd Mr. Reginald Roberts wedi dweud, a Mr. Roland Prys y Banc hefyd, byddai popeth yn iawn iddo fe archebu yn ôl yr angen, ond roedd rhaid iddo fe ddangos pob rhestr i Mr. Roberts neu Mr. Prys er mwyn cael caniatâd i wario. Ond bob tro roedd e'n mynd â rhestr at un o'r ddau, roedd arno fe ofn gweld y pensil glas yn cael ei dynnu drwy'r rhestr. Ond, na, doedd dim un o'r ddau wedi dweud 'Na' eto, er bod Mr. Roberts yn edrych drwy bob un ddwywaith nawr pryd roedd un cip yn ddigon ar y dechrau.

Un peth arall oedd yn poeni Dafydd Williams, ac yn ei ddychryn e hefyd, oedd y drôr yn y cownter yn y siop. Roedd y drôr yn llawn o filiau a'r rheiny i gyd heb eu talu. A dyma fe nawr yn archebu gwerth cannoedd a miloedd o bunnoedd o stoc oddi wrth y cwmnïau roedd arno fe arian iddyn nhw'n barod. Doedd e ddim wedi sôn am y biliau yma wrth Mr. Reginald Roberts — roedd gormod o ofn arno fe. Tybed fyddai'r cwmnïau yma'n troi'n gas yn sydyn ac yn dweud fod rhaid iddo fe dalu'r hen filiau cyn bydden nhw'n anfon dim o'r stoc newydd. Roedd Mr. Roberts a Mr. Prys wedi gwarantu'r gwario ar yr adeilad ac ar y stoc i'r siop newydd, ond tybed fydden nhw'n barod i dalu ei hen ddyledion hefyd. Os na fydden nhw ddim, yna, dyna bopeth ar ben i Dafydd Williams, a'i fyd e'n rhacs am ei glustiau.

Yn ei ofn un noson, fe wnaeth Dafydd restr o'r holl filiau oedd yn y drôr er mwyn iddo fe gael gweld yn union faint o arian roedd arno fe i'r cwmnïau yma. Fe synnodd e weld fod arno fe dros ddeuddeg cant o bunnoedd i ryw ddeg o gwmnïau, a dyma'r union gwmnïau roedd e'n archebu stoc i'r siop newydd ganddyn nhw. Fe ddechreuodd calon Dafydd guro'n gyflym iawn wrth weld swm ei ddyledion fel roedd e wedi eu rhestru nhw ar y darn papur yn ei law. Cymaint oedd ei ddychryn fel y dododd e'r rhestr ar ben y biliau yn y drôr a'i gau e'n glep! Roedd e'n teimlo'n sâl dim ond wrth edrych ar y rhestr.

Safodd Dafydd yno am funudau lawer a'i law ar fwlyn y drôr gan deimlo'r dŵr oer yn rhedeg i lawr ei gefn. Caeodd ei lygaid a dweud gweddi fach, 'O, Dduw, helpa fi nawr. Paid â gadael i'r . . . i'r . . .' Doedd e ddim yn gallu meddwl am y gair iawn. Roedd arno fe eisiau dweud 'Paid â gadael i'r diawliaid ddod am fy mhen i nawr', ond doedd y gair 'diawliaid' ddim yn iawn mewn gweddi. Ac felly, beth ddwedodd e oedd, 'Paid â gadael iddyn *nhw* ddod i rwystro fy nghynlluniau nawr.' Roedd e'n gwybod byddai Duw yn deall pwy roedd e'n ei feddwl wrth y '*nhw*'.

Mae'n hawdd deall mai dyn nerfus iawn oedd yn cwrdd â'r postmon bob bore wedyn yn y siop fach rownd y gornel. Ond nerfus neu beidio, roedd rhaid iddo fe ddal ati yn y gwaith mawr a phwysig, a byw mewn gobaith. Roedd yr adeiladwyr wedi dweud byddai'r siop fawr newydd yn barod mewn chwech wythnos, ac felly, wrth archebu ei stoc roedd Dafydd wedi rhoi'r dyddiad i'r cwmnïau pryd i ddanfon yr holl nwyddau angenrheidiol. A gweddi Dafydd nawr oedd na fydden nhw ddim yn ei boeni fe am yr hen ddyledion cyn y dyddiad hwnnw.

Roedd Nan yn gwybod am y biliau, wrth gwrs, ond doedd hi ddim yn gwybod swm y dyledion, ac yn wir, doedd Dafydd ei hun ddim wedi sylweddoli cymaint oedd y swm nes iddo fe dynnu allan y rhestr. Fe geisiodd e gadw ei ofnau iddo fe ei hun a'u boddi nhw dan brysurdeb y dydd, ond roedden nhw'n mynnu dod i'r wyneb yn fwy aml na pheidio. Fe welodd Nan fod rhywbeth yn ei boeni fe'n dost, ond roedd hi'n meddwl mai'r holl waith o baratoi'r rhestri archebion a hysbysebion ac ati oedd yr achos. Ac roedd eisiau hysbysebu'r siop newydd — yn y papurau lleol ac ar bosteri yn y dref ac yn y pentrefi o gwmpas. Hysbysebu am ferched a dynion i weithio yn y siop hefyd. Roedd ffrynt yr hen Walia'n blaster o bosteri'n barod. Fe gafodd Eirwen y syniad o roi hysbysebion ar y bysys oedd yn rhedeg yn ôl ac ymlaen rhwng Talfynydd a'r pentrefi cefn gwlad. Roedd rhaid cael caniatâd arbennig gan Mr. Roberts i wneud hyn, ond roedd e'n fodlon. Roedd e'n siŵr mai peth da iawn, a chall hefyd, fyddai gwneud hyn, ond roedd rhaid iddo fe roi'r *veto* ar un arall o syniadau Eirwen — hysbysebu'r siop newydd ar y teledu. Fe fyddai hynny'n rhy gostus, meddai Mr. Roberts.

Fel mater o ffaith, roedd Eirwen yn llawn o syniadau. Un arall ohonyn nhw oedd cael rhywun arbennig i agor y siop pan fyddai hi'n barod. Un arall wedyn oedd rhoi gwerth pum punt o nwyddau'n rhad ac am ddim i'r cwsmer cynta fyddai'n mynd drwy'r drysau wedi agor y siop. Fe fyddai'r ddau beth yma'n siŵr o dynnu'r bobl yno yn eu cannoedd. Roedd y ddau syniad yma'n werth eu derbyn, ond pwy oedd yn mynd i agor y siop?

Roedd Dafydd yn mynnu mai Mr. Reginald Roberts ddylai gael yr anrhydedd honno — doedd neb wedi gwneud mwy na fe i'w helpu fe i ddwyn y gwaith i ben. Ond ' Na ' meddai Eirwen. Roedd rhaid cael rhywun mwy poblogaidd, mwy enwog na Mr. Roberts hyd yn oed, er bod pawb yn yr ardal yn meddwl y byd ohono fe. Roedd rhaid cael rhywun fyddai'n tynnu'r bobl ifanc i'r siop hefyd. Pan oedden nhw'n cynllunio ac yn trefnu gwahanol adrannau'r siop, roedd

Eirwen wedi mynnu fod yna adran i ddilladau a diddordebau pobl ifanc megis recordiau, offer chwarae, llyfrau ac ati. Syniad call iawn, wrth gwrs, a chymaint o arian gan bobl ifanc i'w wario y dyddiau yma. Felly, roedd rhaid cael rhywun fyddai'n tynnu'r bobl ifanc i'r siop, ac unwaith y bydden nhw'n dod a gweld beth oedd ar werth yno, fe fydden nhw'n dod eto. Ac fe enwodd Eirwen nifer o bobl megis Mary Quant oedd wedi gwneud ei ffortiwn drwy ddarparu ar gyfer pobl ifanc yn unig. Roedd ar Eirwen eisiau hefyd redeg sioe ffasiynau arbennig i dynnu sylw'r bobl ifanc, ond fyddai dim lle i hynny.

Fe ofynnodd ei thad iddi hi pwy oedd ganddi hi mewn golwg i agor y siop.

'Wel, Tomi Ffowc. Dyna un,' meddai Eirwen. 'Fe fyddai fe'n siŵr o dynnu'r bobl ifanc.'

'Tomi Ffowc? Pwy yn y byd mawr ydy Tomi Ffowc?' gofynnodd Dafydd. Doedd e ddim erioed wedi clywed yr enw.

'O, dad, rydych chi'n sgwâr. Fe glywsoch am Elvis Presley a Frank Sinatra a'r Beatles a Tom Jones?'

Oedd, roedd yr enwau'n taro rhyw nodyn yn ei feddwl e. Pobl canu pop oedden nhw?

'Wel, ie, wrth gwrs. Canwr pop ydy Tomi Ffowc hefyd. Mae e'n un o'r cantorion pop mwya poblogaidd yn y wlad. Nid y mwya poblogaidd, rydw i'n gwybod, ond yr ail orau, efallai, achos Bryan Powys ydy'r gorau i gyd. Ond fe fyddai fe'n costio gormod i ni. Piti hefyd achos bachgen o Dalfynydd ydy Bryan.'

'Aros di funud nawr, Eirwen. Wyt ti'n dweud byddai rhaid i ni dalu'r boi yma am ddod i agor y siop?' gofynnodd Dafydd Williams.

'Wel, byddai, siŵr iawn. Fyddech chi ddim yn disgwyl i Tomi neu Bryan ddod yma am ddim? Fyddech chi? Dyma un ffordd mae'r bechgyn yma'n gwneud eu ffortiwn — drwy agor sioeau a siopau a rhoi eu henwau ar ryw fath o grys neu rywbeth. Fe fyddai'n costio . . . wel, o leia can punt i gael Bryan Powys yma, ond fe fyddai Tomi Ffowc yn siŵr o ddod am hanner can punt.'

'Hanner can punt i ryw gymeriad bach gwallt hir — mae'n siŵr fod gwallt hir ganddo fe — i ddod i agor y siop, ac fe alla i gael Mr. Roberts am ddim? Efallai fy mod i'n sgwâr, ond dydw i ddim yn dwp.'

Dyma Nan yn rhoi ei thrwyn i mewn. Roedd hi wedi bod yn gwrando'n ofalus ar ei gŵr a'i merch yn siarad.

'Rydw i'n credu fod Eirwen yn iawn, Dafydd. Mae'r bobl ifanc yn casglu yn eu cannoedd a'u miloedd i weld a chlywed y cantorion pop yma.'

'Ond meddyliwch, Nan — talu hanner can punt i ryw gyw o ganwr pop i ddod yma. Mae'r peth yn gwbl dwp. A pheth arall, fe fydd Mr. Roberts yn disgwyl i fi ofyn iddo *fe* agor y siop,' meddai Dafydd. 'Dyna'r peth lleia galla i ei wneud i ddiolch iddo fe am fod mor garedig wrtho i. Alla i ddim mynd ato fe a dweud, "Mae'n ddrwg gen i, Mr. Roberts, ond dydw i ddim am ofyn i chi agor y siop newydd. Mae Eirwen ni'n mynnu cael rhyw gyw bach o ganwr pop fydd yn apelio at y bobl ifanc".'

'Fydd dim rhaid i chi fynd, dad. Fe fydda i'n mynd i gael sgwrs fach â Mr. Roberts. Ond yn gynta, fe fydda i'n sgrifennu at Tomi Ffowc — rydw i'n aelod o'i *Fan Club* e — i ofyn iddo fe ddod yma ar ddydd mawr y Seremoni Agor. Wedyn, fe fydda i'n mynd at Mr. Roberts ac yn dweud wrtho fe fy mod i ddim yn gwybod eich bod chi, dad, yn bwriadu gofyn iddo *fe* agor y siop. Ac fe fydda i'n dweud ei bod hi'n ddrwg iawn gen i, ond fy mod i wedi gofyn yn barod i rywun arall berfformio'r Seremoni heb yn wybod i chi,' meddai Eirwen.

A'r cwbl roedd ei thad yn gallu ei ddweud oedd, —

'Eirwen!!!'

'Rydw i'n ofni na fydda i ddim yn dweud y gwir, y gwir i gyd, a dim ond y gwir, dad, ond roeddwn i wedi penderfynu gofyn i Tomi Ffowc — wel, o leia, gynnig ei enw fe i chi — cyn i chi sôn am Mr. Roberts. Ac felly, fe fydda i'n dweud . . . wel, hanner y gwir. Beth bynnag, fe fydd y peth yn *fait accompli,* fel mae'n nhw'n dweud yn . . . ym . . . Ffrangeg. Ie, Ffrangeg.'

Chwerthin wnaeth Nan.

'Rydw i'n dy weld di'n fwy tebyg i Modryb Marged Bowen bob dydd,' meddai hi.

'Hei, araf bach, mam! Mae hi dros ei deg a thrigain!' atebodd Eirwen.

Ac felly y cafodd y mater o benderfynu pwy oedd yn mynd i gael yr anrhydedd o agor y siop ei setlo. Ond mae rhaid dweud fan yma nawr fod gan Eirwen reswm arall dros ofyn i Tomi Ffowc ddod i agor y siop. Ei diddordeb mawr hi oedd miwsig. Roedd hi'n gallu canu'r piano yn y parlwr uwchben y siop yn rhagorol. Roedd hi wedi sgrifennu cân neu ddwy — ei geiriau ei hun hefyd; rhai Cymraeg a rhai Saesneg — ac roedd hi'n gobeithio cael Tomi i ganu un ohonyn nhw, sef 'Mae 'nghalon i'n wag'. Efallai byddai Tomi'n canu'r fersiwn Saesneg, *So empty's my heart,* ar un o'i raglenni teledu o Lundain. Fe fyddai'r gân yn mynd i ben y siartiau, a dyna ffortiwn iddi hi wedyn fel byddai ffortiwn i'w thad ar ôl cael y siop-farchnad ar ei thraed. Roedd y dyfodol yn edrych yn obeithiol iawn.

Ond y noson honno, y noson buon nhw'n trafod pwy fyddai'n cael yr anrhydedd o agor y siop newydd, fe gafodd Dafydd Williams sioc waetha'i fywyd hyd yma.

Cyn mynd i'r gwely, fe aeth e yn ôl ei arfer i weld fod popeth yn iawn yn y siop, a'i fod e wedi cloi'r drws ac ati; ac yn ôl ei arfer yn ddiweddar, fe agorodd e'r drôr lle roedd e'n cadw ei filiau a'r rhestr roedd e wedi ei gwneud o'i ddyledion. Ond doedd y rhestr ddim yno! Roedd hi wedi diflannu!

Oedd e wedi ei rhoi hi yn ei boced heb feddwl? Fe chwiliodd e drwy ei bocedi i gyd. Fe dynnodd e bopeth allan a'u dodi nhw ar y cownter. Na, doedd y rhestr ddim yno. Fe chwiliodd e rhwng y biliau yn y drôr ond doedd dim sôn amdani hi yno chwaith. Fe chwiliodd e ymhob cwpwrdd a drôr; fe dynnodd e bob drôr allan; fe chwiliodd e bob twll a chornel ond ddaeth y rhestr ddim i'r golwg.

Beth oedd wedi digwydd iddi hi? Oedd rhywun wedi ei

dwyn hi? Ond doedd neb yn gwybod amdani hi, dim ond fe. Doedd Nan hyd yn oed ddim yn gwybod amdani hi. Olwen, efallai. Olwen Morgan? Na! Amhosibl! Roedd hi mor onest â'r dydd, a fyddai hi byth yn breuddwydio gwneud dim drwg iddo fe. Roedd e'n siŵr na fyddai hi byth yn meddwl chwilio drwy ei bapurau preifat e yn y drôr. A roedd hi'n edrych ymlaen gymaint i'r dyfodol yn y siop newydd â neb. Na, nid Olwen! Ond pwy, te? Doedd gan Dafydd ddim un syniad.

Chafodd Dafydd Williams ddim llawer o gwsg y noson honno. Roedd e'n troi ac yn trosi drwy'r nos gan feddwl a meddwl. Oedd rhywun wedi dod i mewn i'r siop pan oedd hi'n wag neu rywbeth? Roedd hynny'n bosibl achos roedd e ei hun yn gwario llawer o'i amser nawr allan o'r siop yn ymweld â Mr. Roberts neu'n rhoi cip nawr ac yn y man i weld sut roedd y gweithwyr yn dod yn eu blaen yn y siop newydd. Ac efallai fod Olwen wedi mynd allan neu rywbeth, i gael newid yn un o'r siopau eraill . . . neu rywbeth . . . neu rywbeth. A rhwng un 'rhywbeth' a'r nesa, fe gafodd e ryw awr fach neu ddwy o gwsg.

15

GWAITH Y DIAFOL

Dyn bach dan-din oedd Lewis Phillips y siop esgidiau. Dim ond dyn bach dan-din fyddai wedi meddwl am gynnig pâr o esgidiau i swyddog er mwyn ei gael e i wneud drwg i ddyn arall a chymryd arno ei fod e'n gwneud cymwynas â'r dyn yr un pryd. Ond roedd e wedi cael yr ateb iawn gan Mr. Griffith, y Swyddog Adeiladu yn Neuadd y Dref yn Nhalfynydd. Dyna'r ergyd waetha gafodd e erioed oedd gweld ei bâr hyfryd o esgidiau costus yn hedfan drwy'r ffenest yno. Ond mae rhaid cofio ei fod e wedi cael amser drwg iawn gan aelodau'r Siamber Fasnach. Roedd pawb ohonyn nhw nawr yn ei ben e achos ei fod e wedi methu â rhwystro cynlluniau Dafydd Williams rhag cael caniatâd y Pwyllgor Cynllunio. Ac roedd e wedi methu â dylanwadu ar Mr. Griffith hefyd hyd yn oed gyda phâr o esgidiau. Doedd dim rhyfedd, felly, ei fod e'n teimlo'n gas ofnadwy tuag at y groser bach. Roedd e'n barod i wneud unrhyw beth, torri pob un o reolau Confensiwn Genefa a phob un o reolau Queensbury i gael y gorau arno fe.

Yn rhyfedd iawn, roedd y siop fach rownd y gornel fel magned iddo fe yn ystod y dyddiau ar ôl ei ymweliad â Mr. Griffith. Roedd e'n ei gael ei hun lawer gwaith y dydd yn gadael ei siop esgidiau ac yn mynd am dro heibio siop Dafydd Williams. Bob nos pan oedd e'n mynd â'r ci am dro, roedd rhaid iddo fe fynd a sefyll o'i blaen hi ac edrych arni hi, gan obeithio, mae'n debyg, byddai'r ci'n codi ei goes ar garreg y drws. Fel yna roedd e'n teimlo tuag at Dafydd

Williams. Fe hoffai fe roi bom dan y lle a chwythu'r teulu i gyd i'r diawl. Ac roedd e'n ddyn mawr yn y capel hefyd!

Un noson, pan oedd e'n sefyll o flaen y siop fach ac yn edrych yn ddisgwylgar ar y ci, dyma'r golau'n dod ymlaen yn y siop. Symudodd Lewis Phillips yn gyflym i'r ochr rhag ofn iddo fe gael ei weld o'r tu mewn. Ond rhwng y posteri a'r hysbysiadau ar y ffenestri, roedd e'n gallu gweld Dafydd Williams y tu ôl i'r cownter. Beth roedd e'n ei wneud? Roedd e'n agor drôr yn y cownter ac yn tynnu papurau allan ohono fe. Beth oedden nhw, y papurau yma? Yn ôl eu maint a'u siâp, roedd Phillips yn barod i ddweud mai biliau oedden nhw. Yna, fel welodd e'r olwg drist ar wyneb Dafydd Williams. Roedd e'n siŵr wedyn mai biliau oedden nhw, a biliau heb eu talu hefyd yn ôl yr olwg oedd ar wyneb Dafydd Williams. O, fe hoffai fe weld y biliau yna. Tybed fyddai hynny'n bosibl. Roedd e'n nabod Olwen Morgan oedd yn gweithio yn y siop. Tybed fyddai'n bosibl dylanwadu arni hi a'i chael i roi cip arnyn nhw — os oedd Dafydd Williams yn cadw'r biliau bob amser yn y drôr, — ac yna roi'r wybodaeth iddo fe. Na, gwell peidio â gofyn iddi hi. Doedd e ddim wedi anghofio'r croeso gafodd e gan Mr. Griffith, a doedd arno fe ddim eisiau ergyd yr un fath eto. Efallai mai dyna beth fyddai fe'n ei gael ganddi hi. Ond roedd rhaid iddo gael gweld y biliau yna ryw ffordd neu'i gilydd.

Yn ystod y dyddiau nesa, fe gafodd Lewis Phillips ei hun yn gadael ei siop yn amlach fyth ac yn mynd heibio'r siop rownd y gornel. Y diafol oedd yn ei yrru fe, mae'n siŵr. Fel yna mae'r diafol yn gweithio, yn ôl y tadau Methodistaidd. Mae e'n aros a'i fforc deirbig yn ei law nes ei fod e'n gweld rhywun sy â meddyliau drwg yn ei galon, ac yna, mae e'n closio ato fe ac yn ei yrru fe ymlaen. Ac wrth gwrs, nid y dyn ei hun sy'n gyfrifol am unrhyw ddrwg mae e'n ei wneud wedyn, ond y diafol.

Un prynhawn, felly, pan oedd Lewis Phillips ar ei ffordd at siop Dafydd Williams, dyma'r diafol yn ei weld e ac yn closio ato fe'n syth. Meddai'r diafol wrtho fe'n sydyn fel roedd e'n cerdded wrth ei ochr — yn anweledig, wrth gwrs, —

'Hei, Lewis, yr hen gyfaill, dacw Dafydd Williams yn mynd ar frys i rywle. Fydd e ddim yn y siop am beth amser nawr. Mae'n siŵr ei fod e'n mynd i weld yr hen Reg. Roberts yna.'

Fe deimlodd Lewis Phillips rywbeth yn ei frathu fe yn ei ben-ôl — fforc deirbig y diafol, mae'n debyg — ac fe frysiodd e ymlaen yn gyflymach. Ac fel roedd e'n troi'r gornel at y siop fach, dyna'r diafol yn gafael yn ei fraich ac yn dweud yn ei glust, —

'Edrychwch, Lewis, dyna Olwen Morgan yn gadael y siop. Mae hi'n mynd i'r banc i nôl newid neu rywbeth. Fydd neb yn y siop, fe elli di fentro. I mewn â thi nawr. Fe elli di gael cip ar y biliau yna wedyn. (Roedd y diafol yn gwybod popeth am y biliau, wrth gwrs). Os bydd rhywun yno, fe elli di ofyn am baced o sigarets neu rywbeth. Ymlaen â thi, ond yn dawel, cofia.'

A'r diafol yn ei yrru fe felly, fe aeth Lewis Phillips i mewn i'r siop. Doedd neb yno. Fe edrychodd e o gwmpas y lle. Dyna'r cownter lle roedd e wedi gweld Dafydd Williams yn sefyll, ac un cam rownd y cownter roedd y drôr!

'Brysia!' meddai'r diafol yng nghlust Lewis Phillips.

Brysiodd Lewis Phillips. Un cam ac roedd e y tu ôl i'r cownter. Cam arall ac roedd e'n agor y drôr — yn dawel, dawel. Beth oedd y papur yma ar ben y biliau? Roedd un cip yn ddigon i feddwl craff Lewis Phillips. Rhestr o ddyledion! Mewn fflach roedd y papur yn ei boced e. Dau gam yn ôl ac roedd e ar yr ochr iawn i'r cownter, a dyna Nan Williams yn dod drwy'r drws o'r stafell y tu ôl i'r siop.

'Deg *Embassy Gold,* os gwelwch yn dda,' meddai Lewis Phillips

Fe gafodd e ei sigarets. Talodd amdanyn nhw a brysio allan.

'Da iawn,' meddai'r diafol wrtho fe.

Doedd dim rhyfedd, felly, fod Dafydd Williams wedi chwilio'n ofer am ei restr dyledion. Roedd hi yn nwylo Lewis Phillips, a hynny achos bod yr aelod ffyddlon hwnnw o gapel Nebo wedi cael ei ddal ar awr wan gan y diafol.

Wedi mynd yn ôl i'w siop ei hun ac edrych yn ofalus ar y darn papur roedd e wedi ei ddwyn o siop Dafydd Williams, fe ddechreuodd Lewis Phillips geisio meddwl am gynllun sut i'w ddefnyddio yn y frwydr fawr yn erbyn Dafydd Williams — os nad oedd y frwydr honno wedi ei hennill yn barod gan Dafydd Williams. Roedd y posteri o gwmpas Y Gwalia yn dweud byddai'r siop-farchnad fawr, fodern yn agor ymhen mis. Roedd pedair wythnos felly gan Lewis Phillips i droi holl waith a gobeithion Dafydd Williams yn ofer. Digon o amser felly.

Fe fuodd e wrthi'n meddwl a chrafu ei ben am oriau lawer, ac yna, o'r diwedd fe gafodd e syniad. Roedd e ar ben ei ddigon. Fe fyddai'r cynllun yma'n atal Dafydd Williams unwaith ac am byth, a fyddai neb yn gwybod mai fe, Lewis Phillips, oedd wedi cynllunio'r cwbl. Aeth e ddim am dro heibio'r siop rownd y gornel wedyn . . . wel, ddim am beth amser.

* * * *

Fe aeth y dyddiau heibio'n araf — ac yn boenus i Dafydd Williams — ac i bob golwg roedd y gwaith yn mynd yn ei flaen yn rhagorol yn y siop newydd. Roedd Reginald Roberts wedi dweud mai gweithwyr cyflym oedd y cwmni adeiladwyr. Roedd Dafydd yn mynd i'w gweld wrth eu gwaith yn aml, a welodd e neb yno'n gwastraffu amser o gwbl — ac mae hynny'n ddweud mawr y dyddiau yma. Fe fyddai'r siop yn barod erbyn y dydd mawr. Ond fyddai fe, Dafydd, yn barod oedd y cwestiwn.

Roedd rhaid cael digon o staff i ddechrau. Fe fyddai'r hysbysebion am staff yn ymddangos yn y papurau wythnosol ddiwedd yr wythnos honno, ond yn barod roedd rhoi pobl — merched yn benna — wedi bod yn galw yn y siop fach i weld Dafydd Williams ynglŷn â chael gwaith yn y siop newydd. Ond doedd y rhain, na neb arall roedd Dafydd yn ei nabod, yn gwybod dim am waith siop-farchnad. Doedd y rhan fwya ohonyn nhw ddim erioed wedi bod y tu mewn i siop-farchnad, ac felly, heb ddim profiad. Roedd siop-farchnad yng Nghaerarfor, ond pa mor aml roedd pobl Talfynydd yn mynd yno? Y dynion oedd yn mynd i Gaerarfor amla a hynny pan oedd tîm pêl-droed y dref fawr honno'n chwarae am gwpan neu debyg. Doedd dim llawer ohonyn *nhw*'n mynd i'r siop-farchnad. Roedd lleoedd gwell ganddyn nhw i fynd cyn ac ar ôl y gêm. Gair ofnadwy i godi syched ar ddyn ydy'r gair 'Gôl!'

Ond yn ôl ei arfer pan oedd problem yn codi, fe aeth Dafydd i weld Reginald Roberts. Roedd *e*'n gwybod beth i'w wneud bob amser. (Ond ddwedodd Dafydd ddim wrtho fe am y broblem fawr oedd yn ei boeni fe — y rhestr dyledion aeth ar goll). Gwenu wnaeth y gŵr mawr wrth wrando ar Dafydd yn sôn am ei broblem staffio.

'Mae rhaid i ni aros tan yr wythnos nesa. Cymerwch chi fy ngair, fe fydd digon o bobl yn ceisio am waith gyda ni. Mae siop-farchnad yn beth cwbl newydd yn Nhalfynydd, ac fe fydd gweithio ynddi hi'n apelio'n fawr at ferched — a dynion hefyd, — ond fe fydd eisiau mwy o ferched na dynion, wrth gwrs.'

'Ond y mater o brofiad sy'n fy mhoeni i fwya,' meddai Dafydd. 'Does gan neb rydw i'n nabod brofiad o gwbl yn y gwaith.'

'Fe allwn ni setlo'r broblem yna'n hawdd, Mr. Williams.'

'Sut, Mr. Roberts?'

'Os na fydd dim profiad gan y bobl fydd yn cynnig am waith, fe fydd rhaid i ni eu dysgu nhw, dyna i gyd.'

'Alla i ddim dysgu llawer iddyn nhw, achos dydw i ddim yn gwybod llawer am waith siop fawr fy hunan.'

Gwenu wnaeth Reginald Roberts eto.

'Fe fydd rhaid i ni gael rhywun i'w dysgu nhw.'

'Pwy?'

'Rhywun pwysig o siopau marchnad Caerarfor neu Gwm-rhydyffwlbart. Rydw i'n nabod un neu ddau. Peidiwch â phoeni, Mr. Williams. Gadewch y peth i fi. Fe fydd hi'n ddigon hawdd trefnu gwersi i'n gweithwyr newydd ni.'

Roedd Dafydd yn hoffi'r ffordd roedd Mr. Roberts yn defnyddio'r gair 'ni' yma. Roedd e'n teimlo'i fod e'n un o gwmni mawr; ei fod e ddim yn brwydro yn erbyn y byd i gyd ar ei ben ei hun. O, roedd e'n falch!

Fe ymddangosodd y papurau wythnosol yn eu pryd ac erbyn yr wythnos nesa, roedd digon o bobl wedi anfon eu cais am waith yn y siop i staffio'r siop newydd ddwywaith drosodd. Roedd profiad gan rai ohonyn nhw, er mawr lawenydd i Dafydd. A dyna'r wythnos brysura gafodd Dafydd hyd yn hyn — gweld, gyda Mr. Roberts, wrth gwrs, y bobl oedd yn ceisio am waith yn y siop newydd. Erbyn diwedd yr wythnos roedd digon o staff ganddyn nhw, ac roedd Mr. Roberts wedi trefnu i'r rhai oedd heb brofiad gael gwersi gan ddyn o Gwmrhydyffwlbart, dyn oedd wedi bod yn y busnes am flynyddoedd lawer. Roedd ychydig dros bythefnos cyn agor y siop newydd, ac fe fyddai'r staff yn barod beth bynnag.

Yn ystod yr wythnos hon hefyd, fe gafodd Eirwen ateb oddi wrth Tomi Ffowc yn dweud ei fod e'n fodlon dod i agor y siop newydd . . . am hanner can punt a'i gostau. Iaw! Beth fyddai ei gostau fe, tybed? Fe fyddai fe'n dod o Fanceinion, ac felly, fe fyddai rhaid iddo fe aros noson, dwy efallai, yn Y March Du. Hm! Fe fyddai hynny'n rhoi cyfle i Eirwen ddangos ei chân *So empty's my heart,* neu'r Gymraeg, 'Mae 'nghalon i'n wag', iddo fe. Ie, Cymro oedd Tomi — o ryw fath. Roedd y ffordd roedd e'n sillafu ei enw'n dangos hynny, heblaw ei fod e'n *kinky* hefyd, fel dwedodd rhyw sgriblwr pop amdano fe.

* * * *

Wythnos fawr oedd honno ychydig dros bythefnos cyn yr agor — wythnos y staffio a'r ateb oddi wrth Tomi Ffowc, y *kinky* Tomi Ffowc. Yn ystod yr wythnos honno hefyd, fe gafodd Dafydd Williams lythyr, llythyr roedd e wedi bod yn ei ddisgwyl ers peth amser ac yn ei ofni yng ngwaelod ei galon. Llythyr oedd e oddi wrth gwmni casglu dyledion yng Nghaerarfor. Roedd y peth roedd Dafydd wedi bod yn ei ofni'n fwy na dim wedi digwydd. Fe aeth ei wyneb e mor wyn â'r eira, a'i goesau fe a'i freichiau a'i holl gorff i grynu. Fe ddychrynodd Olwen Morgan wrth ei weld e.

'Mr. Williams, ydych chi'n sâl? Ga i alw Mrs. Williams neu ffonio'r doctor?'

'E? E? Na . . . na! Mae popeth yn iawn, Olwen fach,' meddai Dafydd yn wan. Roedd rhaid iddo fe gadw'r llythyr yma iddo fe'i hunan. 'Fe fydda i'n iawn mewn munud . . . Wedi bod yn gweithio'n rhy galed yn ddiweddar, chi'n gwybod.'

Ond roedd Olwen yn siŵr mai rhywbeth yn y llythyr oedd wedi gwneud i'w wyneb e droi'n wyn a'i gorff i grynu. Ond roedd hi'n ddigon call i beidio â'i boeni fe ragor. Roedd hi'n hoff iawn o Dafydd. Roedd e'n ŵr bonheddig ac roedd e'n siŵr o ddweud wrthi hi beth oedd yn y llythyr . . . rywbryd.

Fe aeth Dafydd allan i'r tŷ bach i ddarllen y llythyr eto, ac i feddwl. A beth oedd yn y llythyr? Rhestr o ddyledion Dafydd yn union fel roedd e wedi eu rhestru nhw ar y darn papur, y darn papur oedd wedi mynd ar goll o'r drôr yn y cownter. Roedd y llythyr yn dweud os na fyddai Dafydd yn talu'r biliau o fewn deng niwrnod, fe fyddai'r cwmni yma'n dod ag achos yn ei erbyn e . . . neu, fel roedd Dafydd yn deall y peth, fe fydden nhw'n ei wneud e'n fethdalwr. Fe fyddai ei holl waith a'i frwydro yn ystod yr wythnosau diwetha yma'n mynd yn ofer, achos roedd e'n ddigon siŵr ei bod hi'n amhosibl iddo fe ddodi ei ddwylo ar ddeuddeg cant o bunnoedd yn unlle. Dyma un broblem roedd yn amhosibl iddo fe fynd â hi at Mr. Roberts. Modryb Marged Bowen? Na! Roedd hi wedi gwrthod unwaith o'r blaen, er eu bod nhw nawr yn ddigon o ffrindiau.

Ei unig obaith fyddai iddo fe ofyn i'r cwmni yma am fwy o amser ac wedyn fe fyddai fe'n gallu eu talu nhw allan o dderbyniadau'r siop newydd. Na! Roedd hynny'n amhosibl hefyd achos roedd rhaid dangos y costau a'r derbyniadau a phob dim i Mr. Roberts, heb anghofio Mr. Prys y Banc. Doedd Dafydd ddim yn gwybod beth i'w wneud nac i ble i droi. Roedd y dyfodol yn dywyll fel y tu mewn i fola buwch.

Roedd y diafol wedi gwneud ei waith yn dda iawn — gyda help Lewis Phillips, er nad oedd gan Dafydd ddim un syniad o gwbl mai'r diafol oedd yn gyfrifol am y llythyr yma.

16

DWY FRWYDR

Tywyll fel y tu mewn i fola buwch! Dyna fel roedd Dafydd Williams yn gweld y dyfodol o'i orsedd yn y tŷ bach. Fe feddyliodd e am y ffwrn nwy fel roedd e wedi meddwl amdani ers llawer dydd. Dyna'r ffordd allan o'r helbul. Ond beth am ei deulu wedyn? Ei wraig ac Eirwen annwyl?

Roedd rhaid gobeithio am wyrth neu rywbeth i ddigwydd. Gwyrth? Ie! Ond twt! Doedd gwyrthiau ddim yn digwydd y dyddiau yma. Nac oedden nhw? Arhoswch chi nawr! Fe gofiodd Dafydd am y pregethwr yna a hernia ofnadwy arno fe pan oedd e'n ddyn ifanc. Bob nawr ac yn y man roedd ei fola fe'n mynd yn fawr fel pêl-droed, ac roedd rhaid iddo fe stwffio'i berfedd e'n ôl i'w lle â'i law ei hunan. Ond roedd y gŵr ifanc yma yn mynnu mynd yn bregethwr, ac un noson, dyma fe'n gweddïo ac yn gweddïo, ac erbyn y bore roedd yr hernia wedi gwella. Roedd hynny'n wyrth, on'd oedd e?

Roedd rhaid i Dafydd weddïo am wyrth hefyd. Ac roedd rhaid bod Rhywun yn gwrando, achos dyma'r Rhywun yma'n procio'i gof e. Do, fe gofiodd Dafydd ddau beth gododd dipyn ar ei galon e.

Yn gynta, roedd yr archebion am nwyddau i'r siop newydd i gyd yn mynd i'r cwmnïau drwy ddwylo Mr. Reginald Roberts a Mr. Prys y Banc. Nawr, roedd Mr. Roberts wedi amau fod Dafydd mewn dyled at ei glustiau, er na ddwedodd e ddim un gair am ei amheuon i Dafydd ei hun. Roedd Mr. Roberts yn ddyn call a chyfrwys iawn, ac roedd e wedi amau'n fawr fyddai'r cwmnïau yn anfon eu nwyddau i ddyn oedd mewn dyled iddyn nhw. Felly, ar bob archeb oedd yn mynd i'r cwmnïau yma, roedd e, Mr. Roberts, wedi gofalu fod y geiriau *Payment guaranteed by The Bombard Bank Limited* ac enw Mr. Roland Prys, rheolwr adran Talfynydd o'r banc, o dan y geiriau. Fe gofiodd Dafydd am y geiriau yma, ac felly, doedd dim byd i atal na rhwystro'r cwmnïau rhag anfon y nwyddau yn eu pryd. Fe gododd calon Dafydd dipyn yn uwch.

Yr ail beth gofiodd e oedd ei fod e ddim wedi rhoi ei enw wrth unrhyw bapur na gweithred na dogfen na dim, dim ond wrth yr archebion. Fe gofiodd e eiriau Mr. Roberts pan gytunodd y gŵr hwnnw i werthu'r hen Walia iddo fe ers llawer dydd — roedd hi'n ymddangos fel 'ers llawer dydd' erbyn hyn i Dafydd. Roedd Dafydd wedi gofyn oedd eisiau iddo fe roi ei enw fe wrth unrhyw bapurau ac ati, ac ateb Mr. Roberts oedd, 'O, twt, nac oes. Does dim angen i ni boeni am bethau fel yna nawr.' Ac roedd Dafydd yn synnu braidd ei fod e ddim wedi gweld unrhyw ddogfen na gweithred eto. Felly, ar bapur, nid Dafydd oedd perchen yr hen Walia . . . eto. 'Felly, os bydd y gwaetha'n digwydd, fe allith Nan roi ei henw hi wrth y papurau, a hi fydd perchen y siop wedyn,' meddyliodd Dafydd. 'Fe fydd y siop yn y teulu beth bynnag.' Er nad oedd Dafydd yn gwybod ar y pryd, roedd y siop yn y teulu yn barod!

Fe brociodd Rhywun dipyn mwy ar feddwl a chof Dafydd Williams. Fe edrychodd e unwaith eto ar y llythyr a'r rhestr dyledion oedd yn ei law. Roedd y rhestr dyledion, air am air, yr un fath yn union â'r rhestr roedd e wedi ei cholli o'r drôr yn y siop, a phob enw arni hi yn yr un drefn yn union. Felly, a meddwl Dafydd yn gweithio fel peiriant Rolls Royce erbyn hyn, roedd y diawl — doedd Dafydd ddim yn gallu meddwl am air gwell i'r pwrpas, ond roedd e'n gobeithio ar yr un pryd byddai Rhywun yn maddau iddo fe am ddefnyddio'r fath air ofnadwy — roedd y diawl oedd wedi dwyn y rhestr wedi gwneud copi ohoni hi a'i ddanfon i'r cwmni casglu dyledion yma. Pwy, tybed, oedd y dia . . . y dyn ofnadwy yma? Doedd Dafydd ddim yn gallu meddwl am neb fyddai mor ofnadwy o ddrwg â gwneud y fath beth. Dyn oedd Dafydd oedd yn meddwl y gorau am bawb.

Roedd Dafydd yn ddiolchgar iawn i Rywun am brocio'i feddwl e fel hyn, er nad oedd E ddim eto wedi dweud wrtho fe sut i dalu'r deuddeg cant. Doedd y wyrth fawr ddim wedi digwydd eto, ond er hynny, dyn llawer llai digalon gododd oddi ar ei orsedd, gaeodd ei fotymau a mynd allan o'r tŷ bach nag aeth i mewn yno hanner awr neu fwy yn ôl. Fe welodd Olwen hefyd ei fod e'n edrych yn well pan aeth e'n ôl i'r siop, ac roedd hi'n falch. Roedd Dafydd yn edrych iddi hi fel dyn oedd wedi ennill brwydr. Beth, tybed, oedd y frwydr? Fe hoffai hi, Olwen, wybod yn fawr.

Ar ôl y diwrnod mawr hwnnw, ac ar ôl tawelu tipyn ar ofnau Dafydd, fe aeth pethau ymlaen ar garlam i gael popeth yn barod erbyn dydd yr agor. Ac roedd cymaint i'w wneud. Roedd rhaid penderfynu'r amser roedd y Seremoni Agor i fod. Roedd rhaid cael caniatâd yr Heddlu hefyd i'r Seremoni achos fe fyddai'r stryd y tu allan i'r siop newydd yn llawn o bobl ifanc fyddai'n dod i weld Tomi Ffowc, heblaw am bobl eraill y dref fyddai'n dod i weld rhywbeth newydd yn hanes y dref. Roedd y mater yma o drefnu gyda'r Heddlu yn nwylo Reginald Roberts, ac felly, fe fyddai'r ochr honno o'r Seremoni'n saff. Fel gweithiodd a threfnodd y dyn da hwnnw! Doedd dim yn ormod ganddo fe i'w wneud, a hebddo fe, fe fyddai'r holl fusnes i gyd o'r dechrau cynta'n draed moch. Roedd e'n ddyn poblogaidd yn y dref cyn hyn, ond roedd pobl y dref yn sylweddoli mai fe oedd y pŵer oedd yn gyrru'r peiriant yn ei flaen, ac fe gododd e'n uwch eto ym meddyliau'r bobl.

Oedd, roedd y trefnu'n mynd ymlaen ar garlam a Dafydd Williams yn cael ei gario ymlaen megis ar donnau mawr y môr. Roedd perygl iddo fe gael ei foddi weithiau dan yr holl waith, ond ynghanol y cwbl roedd yr ofn ynglŷn â'r dyledion yn codi ei ben nawr ac yn y man. Roedd yn amhosibl iddo fe anghofio'i ofn er cymaint y mynd a'r dod. Roedd rhaid iddo fe dalu'r cwmni dyledion yma o fewn deng niwrnod ac roedd y dyddiau'n mynd heibio'n gyflym iawn, — ar garlam yn wir.

Yna, un bore, fe ddaeth y postmon â dau lythyr yr un pryd, a'r ddau oddi wrth gwmnïau roedd ar Dafydd arian iddyn nhw. Roedden nhw'n gofyn am eu harian yn fuan iawn neu fe fydden nhw'n dod ag achos yn ei erbyn e. Roedd y ddau lythyr yma'n swnio'n od iawn i Dafydd. Roedd enwau'r cwmnïau ar y rhestr gollodd e o'r siop. Os oedden nhw wedi rhoi ei enw fe i'r cwmni casglu dyledion yna, pam roedden nhw'n sgrifennu llythyr arall ato fe nawr? Mae rhaid nad oedden nhw'n gwybod dim am y cwmni yma yng Nghaerarfor, neu roedden nhw wedi anghofio eu bod nhw wedi rhoi ei enw fe i'r cwmni, a doedd hynny ddim yn debyg.

Fe ddechreuodd Dafydd amau'r llythyr o Gaerarfor. Roedd e'n dechrau amau mai rhyw dric oedd e, a bod y dia . . . y person oedd wedi dwyn y rhestr o'r drôr, wedi cynllunio'r llythyr gyda'r cwmni casglu dyledion er mwyn dychryn Dafydd. Ac roedd y llythyr wedi gwneud hynny heb unrhyw 'os' o gwbl. Ond dyma feddwl Rolls Royce Dafydd yn symud i gêr uwch, a dyma fe'n gofyn iddo'i hun, 'On'd ydy'r cwmnïau yma'n dwp i gadw cymaint o sŵn ynglŷn â'r ychydig sy arna i iddyn nhw, a finnau'n archebu mwy oddi wrthyn nhw nawr a sêl y banc ar bob un archeb hefyd? Ac fe fydda i'n archebu mwy eto am flynyddoedd achos rydw i'n siŵr bydd y siop newydd yma'n llwyddo. Fe sgrifenna i lythyr atyn nhw i dynnu eu sylw at hyn. Fe fydd hwnna'n ddigon i gau eu cegau nhw am sbel. Fe alla i anghofio'r llythyr oddi wrth y cwmni dyledion a'r ddau lythyr yma hefyd.'

Fe benderfynodd Dafydd daflu'r peth o'i feddwl y munud hwnnw. Gŵr sionc oedd y tu ôl i'r cownter yn y siop fach ac yn rhedeg yn ôl ac ymlaen i'r siop newydd o hynny ymlaen, ac roedd yr emyn 'Bydd goleuni yn yr hwyr' ar wefusau Dafydd bob munud o'r dydd bron wedyn.

Er bod Dafydd wedi penderfynu anghofio'r llythyrau, roedd yna ddau berson oedd yn methu'n lân ag anghofio'r llythyr ddaeth o'r cwmni casglu dyledion. Un ohonyn nhw oedd Olwen Morgan, a phan gafodd hi ei chyfle, dyma hi'n gofyn yn blwmp ac yn blaen i Dafydd beth oedd yn y llythyr i wneud iddo fe golli ei liw ac ati, er, wrth gwrs, doedd hi ddim yn gwybod mai llythyr oddi wrth y cwmni casglu dyledion oedd e. Fe atebodd Dafydd a gwên fawr ar ei wyneb, —

'Rhyw bobl oedd yn ceisio fy nychryn i.'

'Fe lwyddon nhw hefyd,' meddai Olwen yn gwta.

'O, dim ond am ryw funud neu ddau,' atebodd Dafydd, a mwy na hynny doedd e ddim yn barod i'w ddweud. Ond yn ei feddwl roedd e'n dweud, 'Fe fydda i'n talu pob un geiniog o'r dyledion ryw bryd, ond does dim brys ar hyn o bryd . . . dim brys o gwbl.'

Y person arall oedd yn methu ag anghofio'r llythyr oedd y gŵr gynlluniodd y peth, y gŵr aeth am dro un prynhawn gyda'r diafol, — neb llai na Mr. Lewis Phillips. Roedd ffrind gan Lewis Phillips yn gweithio gyda'r cwmni casglu dyledion yng Nghaerarfor. Ar ôl sgwrs â fe ar y ffôn, ac yna anfon copi o'r rhestr dyledion iddo fe, fe deipiodd y ffrind yma'r llythyr ar bapur y cwmni a'i anfon e i Dafydd. Ond, wrth gwrs, nid Lewis Phillips ei hun oedd wedi cynllunio'r peth ofnadwy yma, ond y diafol. Ond nawr, wedi gorffen ei waith, fe aeth y diafol, yn ôl ei arfer, ar garlam i rywle arall i chwilio am waith newydd, gan adael i Lewis Phillips wynebu canlyniadau'r weithred ar ei ben ei hun.

Wynebu'r canlyniadau! Fe gafodd Dafydd Williams ddychryn pan dderbyniodd e'r llythyr, ond doedd hynny'n ddim bron o'i gymharu â'r dychryn gafodd Lewis Phillips pan sylweddolodd e beth roedd e wedi ei wneud. Fe ddechreuodd ei gydwybod ei bigo a'i boeni fe nes ei fod e'n griddfan yn ei ing. Roedd ei berfedd e'n troi y tu mewn iddo fe wrth feddwl byddai rhywun yn siŵr o ddod i wybod mai fe oedd wedi cynllunio'r llythyr a chwarae tro mor frwnt ar aelod arall o gapel Nebo, — fe fyddai'n iawn iddo fe chwarae tro brwnt ar eglwyswr, ond ar aelod o Nebo, NA!

Beth fyddai pobl yn ei feddwl ohono fe? Fe fyddai fe'n

cael ei gicio allan o'r capel; fe fyddai pawb yn troi eu cefnau arno fe yn y stryd, ac wedi iddo fe basio, fe fydden nhw'n troi ac yn pwyntio ato fe gan ddweud mai gwas y diafol oedd e. Gwas y diafol! Roedd y diafol wedi ei demtio fe ac roedd e wedi syrthio. Roedd e'n faw! Ie, baw . . . baw . . . BAW! Un darn mawr o faw! Fe geisiodd e ei orau glas i daflu'r peth o'i feddwl, ond brwydr ofer ydy brwydr yn erbyn cydwybod. Fe geisiodd e lanw ei amser â gwaith o bob math, ond beth bynnag roedd e'n ei wneud, roedd ei gydwybod yno'n ei bigo fe ac yn ei frathu, a does dim allith frathu mor gas â chydwybod.

Roedd rhaid iddo fe wneud rhywbeth i dawelu ei gydwybod. Ond beth? Mynd at Dafydd Williams a dweud y cwbl wrtho fe a gofyn am faddeuant? Na! Amhosibl! Allai fe ddim wynebu'r dyn.

A! Dyma syniad! Fe allai fe ei hun anfon yr arian roedd ar Dafydd Williams i'r cwmnïau. Sawl enw oedd ar y rhestr? Naw? Deg? Fe fyddai rhaid iddo fe sgrifennu deg siec . . . a'i enw fe ar bob un! O, na, allai fe ddim gwneud hynny; fe fyddai pawb yn gwybod ei hanes e wedyn.

Syniad arall! Fe allai fe godi'r arian o'r banc — roedd digon o arian gan siopwyr Talfynydd, ond Dafydd Williams, wrth gwrs. Ie, dyna fe! Fe allai fe godi'r arian o'r banc, gwneud parsel bach twt a thaclus ohono a'i stwffio fe drwy dwll llythyrau siop fach Dafydd Williams. Fyddai neb yn gwybod dim, ac fe fyddai'r arian gan Dafydd Williams i dalu ei ddyledion i gyd, ac fe allai ei gydwybod ei hun gysgu'n dawel.

Fe dynnodd Lewis Phillips y rhestr roedd e wedi ei dwyn o'i boced ac edrych ar swm y dyledion arni hi. Deuddeg cant o bunnoedd a rhai ceiniogau. Deuddeg cant? O, na! Cardi oedd Lewis Phillips, hynny ydy, gŵr o Sir Aberteifi, ac mae'r Cardis yn ofalus iawn o'r ceiniogau fel gwŷr Aberdeen — yn fwy gofalus, os rhywbeth. Dyna frwydr fawr wedyn ym meddwl Lewis Phillips — brwydr rhwng y Cardi a'i gydwybod. Y Cardi enillodd. Allai fe ddim talu deuddeg cant o bunnoedd hyd yn oed i dawelu'r gydwybod ofnadwy yma oedd yn ei frathu fe a'i chwipio ddydd a nos. Na, na! Roedd hynny'n gofyn gormod. Roedd hi'n llai anodd byw gyda'i gydwybod na thaflu deuddeg cant o bunnoedd i fynd gyda'r gwynt. Roedd gwario deuddeg cant o bunnoedd am ddim . . . AM DDIM . . . fel hunllef iddo fe. Na, gwell aros. Fe fyddai ei gydwybod e'n tawelu rywbryd, dim ond i aelodau Nebo beidio â dod i wybod am y tro brwnt chwaraeodd e ar Dafydd Williams; ond allai fe byth bythoedd anghofio colli deuddeg cant o bunnoedd. Na, allai fe ddim 'byth bythoedd, Amen.'

Fe ddaeth brawddeg o Weddi'r Arglwydd i'w feddwl e. "Maddau i ni ein dyledion." 'Piti na fyddai rhywun yn maddau i Dafydd Williams ei ddyledion . . . a maddau i fi hefyd am chwarae tro mor frwnt,' meddai Lewis Phillips wrtho'i hun, neu'n well, *griddfanodd* Lewis Phillips wrtho'i hun. Roedd e'n gwybod fod rhaid iddo fe wneud rhywbeth. Efallai byddai fe'n cael rhyw fflach o weledigaeth rywbryd, ond nes byddai hynny'n digwydd, roedd rhaid iddo fe fyw gyda'i gydwybod.

Fe ddechreuodd e fynd am dro bob nos unwaith eto gyda'i gi heibio'r siop fach rownd y gornel gan obeithio efallai byddai'r weledigaeth yn dod y ffordd honno. Ond roedd e'n ofalus iawn o un peth nawr — na fyddai'r ci ddim yn codi ei goes ar garreg y drws.

Druan o Lewis Phillips! Doedd e ddim yn gwybod fod Dafydd Williams yn barod wedi penderfynu anghofio'r llythyr, neu fyddai fe ddim wedi poeni cymaint. Poeni'n ofer, fwy neu lai, roedd Lewis Phillips.

17

YN Y CAWL

Y diwrnod cyn diwrnod mawr y Seremoni Agor. Ie, y Seremoni Agor, nid rhyw agor rywsut, rywffordd am naw o'r gloch yn y bore a disgwyl i'r cwsmeriaid ddod i mewn yn eu hamser eu hunain. Na, roedd rhaid cael Seremoni, fel agor yr Eisteddfod Genedlaethol, neu ysgol neu neuadd dref neu ffordd neu bont newydd. Syniad Eirwen oedd hyn, a'i syniad hi oedd cael Tomi Ffowc y canwr pop i droi'r allwedd yn y drws mawr, gyda gair neu ddau pwrpasol. Fe fyddai'r bobl ifanc a'r hen yn barod i lifo i mewn i'r siop unwaith byddai'r drws wedi ei agor. Fe fyddai plismyn yno hefyd i gadw trefn ac i ofalu am Tomi Ffowc. Roedd yna berygl i'r merched ruthro arno fe a thynnu ei ddillad e'n rhacs — a fe ei hunan, efallai, — er mwyn cael swfenîr o'r canwr poblogaidd.

Roedd Eirwen wedi cael ychydig bach o drafferth gyda Mr. Reginald Roberts pan aeth hi i'w weld e ynglŷn â chael Tomi i droi'r allwedd. Roedd yn amlwg iddi hi fod Mr. Roberts ei hun yn disgwyl cael yr anrhydedd honno. Roedd e wedi cael ei siomi'n fawr — roedd hynny'n amlwg oddi wrth yr olwg ar ei wyneb e. Roedd rhaid iddi hi ddechrau egluro wedyn, ei bod hi wedi sgrifennu at Tomi heb feddwl efallai fod gan ei thad rywun arbennig mewn golwg. A phan ddwedodd e ei fod e'n bwriadu gofyn i Mr. Roberts . . . wel, roedd hi wedi sgrifennu at Tomi Ffowc yn barod. '*Fait accompli*, chi'n gweld, Mr. Roberts.' Ond roedd hi'n dwp ei hunan ei bod hi ddim wedi meddwl am Mr. Roberts yn syth, ond y bobl ifanc oedd ganddi hi mewn golwg. Roedd rhaid i Mr. Roberts gytuno byddai Tomi'n tynnu'r bobl ifanc yno, ac roedd hynny'n fater pwysig, wrth gwrs. Ond roedd yn amlwg i Eirwen fod y siom yn aros. O, roedd yn ddrwg ganddi hi wedyn . . . mor ddrwg; ei bod hi wedi sgrifennu at Tomi heb hyd yn oed ddweud un gair wrth ei thad. Meddwl roedd hi ei bod hi'n helpu drwy gymryd tipyn bach o'r gwaith oddi ar ei ysgwyddau fe. Wir, roedd yn ddrwg ganddi hi, Mr. Roberts. Roedd hi'n meddwl y byd ohono fe, fel roedd ei thad. Pwl bach o grio wedyn — roedd Eirwen wedi cymryd rhan mewn mwy nag un ddrama yn yr ysgol — a phwy allai edrych ar ferch ifanc bert yn crio heb deimlo'i galon galed yn troi'n ddŵr o'i fewn? Allai Mr. Roberts ddim.

'Dyna ni, Eirwen fach! Peidiwch â chrio! Mae popeth yn iawn. Fe fuoch chi'n iawn i ofyn i Tomi Ffowc ddod yma. Do, do! Fe fuoch chi'n iawn, Eirwen fach,' meddai Mr. Roberts caredig gan ddodi ei law ar ei hysgwydd.

'Diolch, Mr. Roberts. Fe fues i'n ffôl, rydw i'n gwybod. Ond dim ond ceisio helpu roeddwn i. Rydw i'n siŵr eich bod chi'n deall, Mr. Roberts.'

'Ydw, ydw. Rydw i'n deall, Eirwen fach. Sychwch y dagrau yna nawr. Fe fydda i yn y Seremoni, ac unrhyw beth galla i ei wneud, fe fydda i'n falch o'i wneud,' meddai'r cyfreithiwr, a bron bod dagrau yn ei lygaid ei hunan.

Sychodd Eirwen ei dagrau.

'Rydych chi'n garedig dros ben, Mr. Roberts. Dydw i ddim yn gwybod beth fyddai fy nhad wedi ei wneud heb eich help chi.'

'Fe alla i ddweud yr un peth fy hunan,' meddyliodd Mr. Roberts, ond meddai fe wrth Eirwen, 'Nawrte, ffwrdd â chi adref, Eirwen, i helpu rhagor ar eich tad, a pheidiwch â phoeni dim rhagor am y Tomi Ffowc yma.'

Gwenodd Eirwen yn swil — yn drist hefyd — gan sychu'r deigryn ola o'i llygaid.

'O'r gorau, Mr. Roberts, a diolch i chi am bopeth.'

Erbyn iddi hi gyrraedd y stryd, roedd Eirwen yn un wên fawr o glust i glust. Roedd hi wedi ennill y frwydr fach honno.

'Fe fydd rhaid i fi astudio drama gyda'r miwsig yn y coleg,' meddai hi wrthi ei hun.

Y tu mewn i'r siop newydd roedd yr adeiladwyr wedi gorffen eu gwaith; roedd y nwyddau wedi cyrraedd oddi wrth y cwmnïau mawr; roedd y merched a'r dynion oedd i weithio yn y siop wedi cael eu gwersi gan y gŵr profiadol o Gwmrhydyffwlbart, a nawr roedden nhw wrthi'n brysur yn stocio'r silffoedd gan roi'r prisiau ar y nwyddau — hanner ceiniog neu geiniog yn rhatach am bethau bach nag mewn unrhyw siop arall, ceiniogau lawer yn rhatach am bethau mwy costus megis siwt o ddillad neu garped i'r parlwr.

Welodd neb erioed y fath brysurdeb, a Dafydd Williams yn rhedeg yma ac acw fel iâr ar y glaw. Roedd Nan yno hefyd, a Modryb Marged Bowen, ac roedd yn dda eu bod nhw yno hefyd, neu fe fyddai'n draed moch ar Dafydd; fe fyddai fe wedi colli ei ben yn lân hebddyn nhw i gadw trefn.
nhw yno hefyd, neu fe fyddai'n draed moch ar Dafydd; fe
bethau, a Dafydd, chwarae teg iddo fe, yn ddiolchgar dros ben iddyn nhw, yn arbennig i Modryb Marged. Roedd hi wedi cau ei siop ym Mhont-y-Pandy am ddau ddiwrnod er mwyn dod i helpu, ac i ofalu fod pethau'n mynd ymlaen yn iawn, achos ei harian hi oedd y tu cefn i'r holl fusnes er nad oedd Dafydd yn gwybod . . . eto.

Erbyn chwech o'r gloch y prynhawn, roedd popeth y tu mewn i'r siop ac allan yn dwt a threfnus, a phawb yn barod i fynd adref wedi blino'n lân — pawb ond Eirwen. Doedd hi ddim wedi blino eto achos roedd ganddi hi rywbeth i edrych ymlaen ato, sef swper gyda Tomi Ffowc. Fe fyddai fe'n aros yn Y March Du, ond roedd e wedi sgrifennu i ddweud byddai fe'n falch o ddod i gael swper gyda'r teulu yn y siop fach yn gynta. Fe fyddai Eirwen yn cael y cyfle wedyn roedd hi wedi bod yn edrych ymlaen gymaint ato o ddangos ei chân iddo fe.

Fe edrychodd Dafydd o gwmpas y lle. Oedd, roedd golwg ardderchog ar bopeth, ac fe ddaeth rhyw lawenydd mawr drosto fe. Fe droiodd e i edrych ar Marged Bowen. Fe nodiodd hi ei phen, cystal â dweud, 'Popeth yn iawn. Fe elli di anfon y gweithwyr yma adref nawr.'

'O'r gorau! Pawb adref nawr, a diolch yn gynnes i chi i gyd am weithio mor galed. Gobeithio byddwch chi'r un mor brysur yfory, a phob yfory arall. Fe fydd y Seremoni Agor am ddau o'r gloch, ond rydw i'n gofyn i chi i gyd fod yma am un o'r gloch rhag ofn ein bod ni wedi anghofio rhywbeth. Nos da i chi nawr, a diolch unwaith eto.'

Fe aeth y gweithwyr i gyd allan, yn falch o gael mynd ar ôl diwrnod mor galed.

'Adref â ni hefyd,' meddai Dafydd wrth ei deulu.

I ffwrdd â nhw allan. Fe gloiodd Dafydd y drws mawr a dodi'r allwedd yn ei boced, yr allwedd byddai Tomi Ffowc yn ei throi y diwrnod nesa a chael hanner can punt am ei lafur caled!

Roedd un peth arall roedd Reginald Roberts wedi gofalu amdano. Fe fyddai rhywun yn y siop drwy'r nos — hen blismon oedd wedi gorffen ei waith gyda'r Heddlu ers blwyddyn neu ddwy. Fe fyddai'n beth ofnadwy i'r siop fynd ar dân neu rywbeth y noson cyn ei hagor. Doedd neb yn gwybod beth gallai rhai o aelodau'r Siamber Fasnach ei wneud, mor gas roedden nhw'n teimlo tuag at Dafydd Williams. Ond roedd un peth yn siŵr, fyddai Lewis Phillips ddim yn gwneud dim drwg. Doedd ei gydwybod e ddim wedi mynd i gysgu eto.

Fe ddaeth Tomi Ffowc yn ei bryd yn y car mawr crandia welodd Talfynydd ers llawer dydd. Gŵr ifanc, bach o gorff oedd Tomi, ond roedd ei ben e'n fawr, yn rhy fawr i'w gorff. Roedd llwyn o wallt ganddo fe ac roedd hwnnw'n sefyll allan rownd ei ben fel ambarél ar agor. Rhwng maint ei ben a'r llwyn o wallt, fe allech chi ddisgwyl iddo fe syrthio'n fflat ar ei drwyn unrhyw funud, neu i'w goesau bach main ollwng o dano fe. A'i ddillad e! Whiw! Roedd dilladau Carnaby Street yn hen-ffasiwn o'u cymharu â'r rhain. Amhosibl eu disgrifio nhw'n iawn. Digon ydy dweud eu bod nhw'n ffrils ac yn ffal-lals i gyd, fel byddai Dafydd Williams yn ei ddweud.

Roedd Nan wedi paratoi swper ardderchog, ac er mai bach o gorff oedd Tomi, roedd e'n gwybod sut i fwyta. Roedd Nan yn synnu lle roedd e'n rhoi'r cwbl roedd hi'n ei ddodi o'i flaen e, ond diflannu roedd popeth fel mewn te-parti Ysgol Sul. Roedd rhaid bod ei gorff bach e'n berfedd i gyd, heb le i'r galon a'r organau eraill.

Yn y parlwr uwchben y siop, lle roedd piano Eirwen, roedd Nan wedi paratoi'r swper. Doedd dim disgwyl i ŵr ifanc mor bwysig â Tomi Ffowc fwyta yn y stafell y tu ôl i'r siop lle roedd y teulu'n bwyta fel arfer.

Beth bynnag, wedi i Tomi gael digon, dyma Nan yn edrych ar Dafydd, a Dafydd ar Marged Bowen, a Marged ar Nan, ac fe gododd y tri gyda'i gilydd. Roedden nhw'n gwybod fod ar Eirwen eisiau dangos ei chân i Tomi.

'Esgusodwch ni, Mr. Ffowc,' meddai Nan. 'Rydw i'n clirio'r bwrdd nawr. Ond does dim rhaid i chi symud.'

Doedd clirio'r bwrdd yn fawr o waith i dri — Nan, Marged a Dafydd — ac mewn llai na hanner munud roedd y tri wedi diflannu i'r gegin fach i lawr y grisiau gan adael y parlwr i Tomi ac Eirwen. Symudodd Tomi o'i gadair a mynd i eistedd ar y soffa fawr, ac yna edrych ar Eirwen oedd yn dal i eistedd wrth y bwrdd. Roedd Eirwen yn teimlo'n swil iawn yn ei gwmni fe ar ei phen ei hun.

'Tyrd i eistedd wrth f'ochr i ar y soffa yma, blodyn,' meddai fe, 'i fi gael siarad â thi. Oes gen ti rywbeth i'w yfed, blodyn — whisgi, neu'n well, ddiferyn bach o frandi? Fe fyddai diferyn bach o frandi'n mynd i lawr yn ardderchog ar ôl y swper crand yna. Drwy ei fola fe mae mynd at galon dyn, meddan nhw. Rwyt ti, blodyn, wedi mynd yn syth at fy nghalon i. Tyrd at y soffa yma, os wyt ti ddim yn mynd i nôl y brandi yna. Fe hoffwn i gael y brandi'n gynta — mae e'n . . . ym . . . ti'n gwybod, blodyn, — ond does dim ots am y tro. Tyrd di ar y soffa yma, ac fe fydd popeth yn iawn . . . hyd yn oed heb y brandi.'

Doedd Eirwen ddim yn gwybod beth i'w wneud. Roedd hi'n dechrau amau'r gŵr ifanc yma, ond doedd arni hi ddim eisiau colli ei chyfle i ddangos ei chân iddo fe. Meddai hi, —

'Mae gen i rywbeth i'w ddangos i chi'n gynta.'

'Chi? Chi? Paid ti â galw "chi" arna i. Ti, blodyn, ti. Rydyn ni'n dau'n ffrindiau, on'd ydyn ni?'

'Wel, mae gen i rywbeth i'w ddangos i ti, Tomi,' meddai Eirwen.

'Tyrd di ar y soffa yma, ac fe fydda i'n siŵr o ffeindio beth sy gen ti i'w ddangos, blodyn. Tyrd nawr.'

Roedd Eirwen yn dechrau dod i nabod a deall y llanc yma nawr, a dyma hi'n codi a mynd at y piano. Roedd hwnnw ar agor a'r gân arno'n barod.

'Tyrd i weld y gân yma, Tomi,' meddai hi gan eistedd wrth y piano a dechrau chwarae.

Sylwodd Tomi ar ei chefn siapus. Roedd e wedi sylwi ar siâp ei ffrynt hi wrth y bwrdd swper ac roedd hwnnw wedi ei blesio fe'n fawr. Oedd, roedd hi'n werth yr ymdrech, ac felly, fe gododd e a mynd at y piano. Ond sefyll? Na. Fe dynnodd e gadair a'i dodi hi wrth ochr stôl Eirwen.

'Nawrte, beth rwyt ti eisiau, blodyn?' meddai fe gan ddodi ei fraich am ei chanol.

'Mae arna i eisiau i ti ganu'r gân yma,' atebodd Eirwen a'i chefn hi'n syth fel pocer.

'Canu'r gân yna?' meddai Tomi'n syn. 'Dwyt ti ddim yn disgwyl i fi ganu'r gân yna, a finnau heb ei gweld hi na'i chlywed hi o'r blaen?'

'Ond rwyt ti'n gallu darllen miwsig, Tomi, on'd wyt ti? Mae hi'n gân fach ddigon syml.'

'Darllen miwsig? Twt, baw! Alla i ddim darllen miwsig, fwy na hedfan fel deryn.'

'Ond sut rwyt ti'n dysgu dy ganeuon, te, Tomi, os wyt ti ddim yn gallu darllen miwsig?' gofynnodd Eirwen, a'i thro hi oedd nawr i synnu, gan deimlo hefyd fod y fraich yn mynd yn dynnach am ei chanol. Ond roedd hi'n gwybod sut i ofalu amdani ei hun. Oedd, myn ei ffon hoci!

'Fel hyn, blodyn. Mae boi gen i sy'n chwarae piano ac mae e'n chwarae'r gân drosodd a throsodd a throsodd gant o weithiau fel hyrdi-gyrdi nes fy mod i'n ei gwybod hi. Mae'n waith caled, cofia di, blodyn. Gwaith caled y dia . . . y diafol. Ydy wir . . . mmmmm . . .' ac fe wnaeth e ryw sŵn bach od yn ei wddw ac fe aeth ei fraich arall am ganol Eirwen a'i thynnu hi'n nes ato fe. A dyna'i wefusau fe ar ei boch a'r sŵn bach od yna eto yn ei wddw fe. 'O, blodyn!' meddai fe.

'Peidiwch!' meddai Eirwen.

'Dyna ti eto. Paid â dweud "Peidiwch" wrtho i, blodyn. Rydyn ni'n ffrindiau, wyt ti ddim yn cofio?'

'Ddim cymaint o ffrindiau ag rwyt ti'n feddwl, Tomi Ffowc,' meddai Eirwen yn benderfynol.

'O, blodyn, blodyn, rwyt ti'n galed wrth fachgen,' meddai Tomi.

Roedd e wedi cael llawer cneuen galed o'r blaen, ond roedd e wedi llwyddo i'w thorri hi bob tro. 'Dal ati,' meddai fe wrtho'i hun, a dyma fe'n dechrau anwylo'r gneuen yma.

Ond roedd hi'n rhy galed iddo fe. Oedd, myn ei ffon hoci!

Neidiodd Eirwen ar ei thraed.

'Dyna ddigon,' meddai Eirwen. 'Beth rwyt ti'n feddwl ydw i?'

'Merch fach annwyl, annwyl iawn. Pert hefyd fel blodyn,' meddai Tomi. Doedd e ddim am roi pob gobaith heibio eto. 'Beth am y brandi yna, fy mlodyn bach annwyl?'

'Does dim brandi yn y tŷ yma — ddim i ti, beth bynnag.'

'Beth am whisgi, te? I gynhesu tipyn ar fy nghalon i. Gwell i ti gymryd diferyn i gynhesu'r galon rew yna sy gen ti. Rwyt ti mor oer â gwynt y gaeaf.'

'Does dim whisgi yma chwaith, na dim arall.'

'Wel, myn hyfryd i! Ble ddiawl rydw i, te? Yn y *Band of Hope*? A beth wyt ti, dwed? Athrawes Ysgol Sul? Rydw i wedi dod i le crand, on'd ydw i?' meddai Tomi, ac roedd e'n colli ei dymer nawr. Roedd e'n gweld ei fod e'n methu gyda'r gneuen yma.

'Rwyt ti wedi dod yma i agor y siop yfory, ac rwyt ti'n cael dy dalu hanner can punt am dy waith. Mae hynny'n ddigon, on'd ydy e?'

'Hanner can punt? Beth ydy hwnna? Roeddwn i'n meddwl fod merched hyd yn oed mewn lle fel Talfynydd yn gwybod eu pethau heddiw, ond dydy'r oes rydd ddim wedi cyrraedd yma eto, mae hynny'n amlwg. Does dim byd i'w yfed yma; dim merch — wel, mae yma ferch ond mae hi mor oer â'r rhew. Duw! Dyma dwll! Cadw dy blydi hanner can punt, a chadw dy blydi siop hefyd. Rydw i'n mynd yn ôl i'r March Du a 'n ôl i Fanceinion heno'r munud yma.'

Roedd Tomi pen mawr, corff bach a'r gwallt fel llwyn, wedi colli ei dymer yn llwyr. I ffwrdd â fe allan drwy ddrws y parlwr, i lawr y grisiau ac allan i'r stryd. Roedd e wedi cael llond ei fola o'r lle — a'r ferch yna oedd mor oer â'r blydi eira. Roedd e'n mynd i gasglu ei fagiau ac yna, i ffwrdd â fe'n ôl i Fanceinion lle roedd digon i'w yfed, a lle roedd merched yn ferched ac yn falch fod bechgyn yn gwybod eu bod nhw'n ferched.

Rhedodd Eirwen i lawr y grisiau ar ei ôl e ac allan i'r stryd. Fe fyddai hi'n draed moch arnyn nhw yn y Seremoni Agor heb Tomi. Fe fyddai'r bobl ifanc yno yfory yn eu cannoedd dim ond i weld Tomi, ac os na fyddai fe yno, fe fydden nhw'n tynnu'r lle yn rhacs, os byddai'r Heddlu yno neu beidio. Roedd rhaid iddi hi ei gael e'n ôl.

'Tomi! Tomi!' gwaeddodd Eirwen ar ei ôl e, ond wrandawodd e ddim. Ymlaen â fe, ar garlam bron, yn ôl i'r March Du. Roedd nifer mawr o bobl ifanc y tu allan i'r gwesty yn gobeithio cael cip ar y canwr enwog. Roedden nhw wedi clywed ei fod e wedi cyrraedd. Disgwyl ei weld e'n dod allan roedden nhw. Sylweddolodd neb pwy oedd yn gwthio heibio iddyn nhw nes iddyn nhw weld y pen mawr a'r llwyn o wallt yn diflannu i mewn drwy'r drws i berfeddion y gwesty. Dyna weiddi a sgrechian wedyn iddo fe ddod yn ôl, iddyn nhw gael ei weld e. Ond roedd Tomi wedi cael llond ei fola. Dau neu dri frandi cyflym wedyn, ac roedd Tomi wedi casglu ei fagiau, ac allan â fe i'r cefn lle roedd ei gar mawr wedi ei barcio. Roedd e'n falch cael mynd o'r twll — ond roedd iaith Tomi dipyn bach yn gryfach na'r gair plaen 'twll'!

Fe droiodd Eirwen yn ôl tua'r siop fach a'r dagrau'n llifo

i lawr ei bochau. Heb Tomi roedd hi'n draed moch arnyn nhw i gyd. A'i syniad hi oedd cael y Tomi twp yma i agor y siop o'r cychwyn. Fe fyddai rhaid iddi hi fynd i ofyn i Mr. Roberts gymryd ei le fe. Ond beth am y bobl ifanc wedyn? Doedd arnyn nhw ddim eisiau gweld hen ŵr fel fe; roedden nhw'n ei weld e'n ddigon aml o gwmpas y dref.

Druan o Eirwen! Fe dorrodd hi ei chalon yn lân.

Pan ddaeth hi'n ôl at y siop fach, roedd dyn yn sefyll yno gyda'i gi. Fe droiodd y dyn ac edrych arni hi. Hei! Pwy oedd y ferch yma, a beth oedd yn bod arni hi? Roedd e'n siŵr mai crio roedd hi. A dyna fe'n ei nabod hi. Eirwen, merch Dafydd Williams, oedd hi yn siŵr ddigon.

'Miss Williams! Beth sy'n bod? Rydych chi'n crio. Does dim byd wedi digwydd i'ch tad neu'ch mam, oes e?' meddai'r gŵr â'r ci — neb llai na Lewis Phillips.

'Na, maen nhw'n iawn,' atebodd Eirwen. 'Ond y ffŵl, Tomi Ffowc. Mae e wedi'n gadael ni yn y cawl.'

'Hy! Tomi Ffowc!' Doedd ganddo fe, Lewis Phillips, fawr o olwg ar y canwr bach. Roedd ganddo fe berthynas oedd yn well canwr o lawer. 'Beth mae'r Ffowc yma wedi ei wneud?'

'Mae e wedi mynd . . . wedi rhedeg i ffwrdd . . . diflannu'n ôl i Fanceinion, a fe oedd i agor y sioe yfory,' atebodd Eirwen.

'Wel, wir, rydych chi yn y cawl at eich gwddw heb ddim "os",' meddai Lewis Phillips. 'Ond peidiwch â phoeni, Miss Williams. Peidiwch â phoeni dim. "Bydd goleuni yn yr hwyr!" (Roedd Lewis Phillips yn defnyddio'r un llyfr emynau â Dafydd Williams yng nghapel Nebo, wrth gwrs). 'Hm!' meddai fe wedyn. 'Fe glywais i eich bod chi'n talu hanner can punt i'r Tomi Ffowc yma. Pam na fyddech chi wedi gofyn i Bryan Powys i ddod? Rydw i'n siŵr byddai fe wedi dod am lai.'

'Am lai? Mae e'n gofyn am gan punt am sioe fel hon.'

'Can punt? Na, dydw i ddim yn meddwl. Nawrte, sychwch y dagrau yna ac i mewn i'r tŷ â chi. A chofiwch beth rydw i wedi ei ddweud wrthoch chi. Peidiwch a phoeni . . . dim!'

Fe aeth Eirwen i mewn i'r tŷ yn ddiflas a digalon. Oedden, roedden nhw i gyd fel teulu yn y cawl — at eu gwddw, fel dwedodd y dyn bach dan-din yna o'r siop esgidiau. Fe fydden nhw i gyd yn edrych yn ffyliaid heb ddim Tomi Ffowc i'w gyflwyno i'r dyrfa fawr oedd yn siŵr o ddod i weld y Seremoni Agor.

Teulu trist a siomedig iawn aeth i'w gwelyau uwchben y siop fach rownd y gornel y noson honno.

Ond am Lewis Phillips, fe aeth e adref i'w siop nerth ei esgidiau costus a chydio yn y ffôn. Fe fuodd e'n ffonio yma ac acw am awr . . . awr a hanner . . . dwy awr . . . cyn mynd i'w wely. Fe aeth e i'w wely o'r diwedd a chysgu'n braf am y tro cynta ers oesoedd, a'i gydwybod yn cysgu'n dawel gyda fe.

18

Y DIWRNOD MAWR

Fe gododd y teulu y bore wedyn — bore diwrnod mawr y Seremoni Agor — a phawb yn edrych fel pe bai eu dydd ola cyn eu crogi wedi dod. Doedd dim un ohonyn nhw wedi cael llawer o gwsg. Yr unig un sionc ohonyn nhw i gyd oedd Marged Bowen — oedd, roedd hi wedi aros dros nos — ac fe wnaeth hi ei gorau glas i godi eu calonnau nhw. Ond roedd hi'n gwybod cystal â'r un ohonyn nhw ei bod hi'n draed moch arnyn nhw heb Tomi Ffowc i agor y sioe. Roedd yr holl ymdrech a'r llafur a'r gwaith wedi mynd yn ofer. Fe fyddai pawb fyddai'n dod i'r Seremoni'n cael eu siomi a dyna droi eu trwynau ar y lle wedyn, a gwaith anodd ofnadwy fyddai eu hennill nhw'n ôl. Wedi iddyn nhw gael eu siomi y tu allan i'r siop yn y Seremoni Agor, fe fyddai arnyn nhw ofn mai cael eu siomi bydden nhw y tu mewn i'r siop hefyd — dyna seicoleg y peth i Marged Bowen — a fydden nhw ddim yn mentro i mewn i'r siop wedyn.

Wrth y bwrdd brecwast doedd dim un o'r pedwar yn gallu gwneud dim mwy na phigo'i fwyd fel iâr wedi colli ei phlu. Roedd rhaid cael pwyllgor i benderfynu beth i'w wneud. Syniad Dafydd oedd mynd i ofyn i Mr. Reginald Roberts ddod i agor y sioe, ond pwy oedd yn mynd i ofyn iddo fe? Doedd Eirwen ddim, roedd hynny'n siŵr. Syniad Nan oedd peidio â chael Seremoni o gwbl, dim ond agor y drws mawr am ddau o'r gloch. Fe fyddai'r bobl yn sefyll y tu allan yn barod, ac wedi iddyn nhw weld y drws yn agor, fe fydden nhw'n llifo i mewn. Roedd hwn yn gystal syniad â dim, meddai Nan. Ac roedd Marged Bowen yn cytuno â hi. Unwaith byddai'r bobl yn gweld beth oedd ar werth yn y siop a gweld y prisiau rhad ar bob peth — rhatach nag mewn unrhyw siop arall yn y dref — fe fydden nhw'n anghofio'u siom efallai.

Yna, pan oedden nhw'n penderfynu ar y cynllun yma, gan fawr obeithio byddai fe'n llwyddo, dyna'r ffôn yn canu. Pwy oedd yno nawr, tybed? Roedd Dafydd yn cofio'r ddau fil oedd heb eu talu eto. Un o'r cwmnïau yna oedd ar y ffôn nawr? Fe aeth Dafydd a chodi'r ffôn a'i ddwylo fe'n crynu gan ofn. On'd oedden nhw at eu gwddw yn y cawl yn barod? Gobeithio nad oedd dim byd gwaeth i ddod.

'Dafydd Williams, Siop Pawb a Phopeth, yma. Pwy sy'n siarad?'

Ddwedodd y person oedd ar y pen arall ddim pwy oedd e, dim ond dweud tri gair, 'Peidiwch â phoeni,' a rhoi'r ffôn i lawr.

'Helo! Helo!' meddai Dafydd, ond doedd dim ateb. Dododd e'r ffôn i lawr a mynd yn ôl at y bwrdd.

'Pwy oedd yna, Dafydd?' gofynnodd Nan.

'Wn i ddim,' atebodd Dafydd. 'Rydw i wedi clywed y llais o'r blaen, ond alla i ddim dweud pwy oedd e ar y munud.'

'Beth ddwedodd e?'

'Dim ond tri gair. "Peidiwch â phoeni!"'

'Peidiwch â phoeni'? Roedd y geiriau'n taro nodyn ym meddwl Eirwen. Dyna beth roedd y dyn bach dan-din yna, Lewis Phillips Esgidiau, wedi ei ddweud wrthi hi neithiwr.

'Llais Lewis Phillips Esgidiau oedd e, dad?' gofynnodd Eirwen.

'Lewis Phillips? Efallai, Eirwen. Efallai, wir. Ond pam mae e'n dweud wrthon ni i beidio â phoeni? Mae e wedi gwneud ei orau glas i fy rhwystro i ymhob ffordd bosibl.'

Roedd Dafydd wedi clywed am ei ymweliad e â Mr. Griffith, y Swyddog Adeiladu, a'r pâr esgidiau dan ei fraich. Roedd e'n gwybod hefyd am ei ymdrechion i atal y cynlluniau rhag cael caniatâd y Pwyllgor Cynllunio. Na, doedd dim i'w ddisgwyl ganddo fe, dim byd da, beth bynnag.

'O, wel,' meddai Dafydd a golwg ar ei wyneb fel pe bai'r byd ar ben, 'cystal i ni fynd ymlaen â'n gwaith a gobeithio'r gorau. Rydw i'n credu mai cynllun Nan ydy'r gorau. Agor y drws am ddau a byw mewn gobaith na fydd y bobl ifanc yn tynnu'r lle'n rhacs am ein pennau ni. Ond efallai gallwn ni ddweud fod Tomi Ffowc wedi cael ei daro'n sâl, a'i fod e ddim yn gallu dod o achos hynny. Ie, dyna beth fydd orau. Ond gwell i fi gael gair â'r Heddlu, rydw i'n meddwl. Efallai byddan nhw'n fodlon anfon rhagor o blismyn i reoli'r dyrfa.'

'Efallai na fydd dim tyrfa yna,' meddai Nan.

'Fe fydd tyrfa yna'n siŵr i chi ar ôl yr holl hysbysebu ac ati rydyn ni wedi ei wneud,' meddai Eirwen.

'O, wel, does dim pwynt mewn siarad rhagor. Rydw i'n mynd i lawr i'r siop i weld fod popeth yn iawn yno, fod neb wedi rhoi'r lle ar dân yn ystod y nos. Fe fyddai hynny'n drasiedi ar ben trasiedi. Ydych chi'n dod gyda fi, Modryb? Nan, rydw i'n rhoi'r siop yma yn eich gofal chi y bore yma achos fe fydd Olwen yn mynd yn syth i'r Gwalia.'

Ie, dyna enw'r siop — SIOP GWALIA. Roedd Dafydd wedi mynnu ei ffordd a chadw'r enw Gwalia.

'Eirwen,' meddai Dafydd wedyn, 'mae'n bryd i ti fynd i'r ysgol. Cystal i ti fynd, 'merch i.'

Dydd Gwener oedd hi, y diwrnod gorau yn yr wythnos i agor siop. Roedd y gweithwyr yn y ddwy ffatri'n cael eu tâl ar nos Iau yn Nhalfynydd.

'Dydw i ddim yn mynd i'r ysgol heddiw, dad,' atebodd Eirwen yn gwta.

'O'r gorau, Eirwen. Aros di yma i helpu dy fam yn y siop.'

Roedd e'n gwybod yn iawn na fyddai dim calon ganddi hi i wrando ar unrhyw wersi sych heddiw. Roedd e'n gwybod ble byddai ei meddwl hi. Ac aros gartref wnaeth Eirwen.

Fe aeth yr oriau heibio yn araf, araf i Nan ac Eirwen yn y siop fach, ac i Dafydd a Modryb Marged yn Y Gwalia, fel bydden nhw i rywun oedd yn aros i gael ei grogi!

Doedd neb o'r gweithwyr yn cyrraedd Siop Gwalia tan

un o'r gloch, dim ond Olwen. Roedd rhaid dweud wrthi am yr helbul roedden nhw ynddo nawr. Roedd ei hwyneb hi mor hir ag wyneb pawb arall wedyn. Fel mater o ffaith, fe aeth hi i gornel fach dawel ar ei phen ei hun a cholli ychydig o ddagrau. Roedd hi'n teimlo'n well wedyn.

Tua chanol dydd roedd Eirwen yn y siop ar ei phen ei hun, a'i mam wedi mynd i'r gegin i baratoi tamaid o ginio. Dyma'r ffôn yn canu am yr ail waith y bore hwnnw.

'Siop Pawb,' meddai Olwen gan godi'r ffôn.

Dyna lais o'r pen arall.

'Peidiwch â phoeni . . . dim!'

'Hei!' gwaeddodd Eirwen i mewn i'r ffôn. 'Pwy sy'n siarad? Phillips? Mr. Lewis Phillips, ie?'

'Ie, fi, Lewis Phillips, sy yma,' atebodd y llais. 'Chi, Miss Williams, sy'n siarad?'

'Ie, fi, Eirwen, sy yma,' atebodd Eirwen.

'Wel . . . ym . . .' dechreuodd Lewis Phillips. O, cystal iddo fe ddweud ei neges. Na! Roedd ffordd arall. Ffordd well. 'Ym . . .' dechreuodd Lewis Phillips Esgidiau unwaith eto. 'Allwch chi . . . Allwch chi ddod i lawr i'r siop yma am funud?'

'Wel, rydw i yn y siop ar fy mhen fy hun,' meddai Eirwen. Roedd rhaid bod gan y dyn yma rywbeth pwysig i'w ddweud cyn byddai fe'n gofyn iddi hi fynd i lawr i'r siop esgidiau. Fe aeth Eirwen ymlaen, 'Daliwch y lein am funud, os gwelwch yn dda. Mae rhaid i fi ofyn i mam ddod i ofalu am y siop.'

'O'r gorau . . . Eirwen.'

'Ffiw!' meddyliodd Eirwen, 'mae e'n fy ngalw i wrth fy enw nawr.'

Cystal iddi hi fynd, a mynd wnaeth hi.

Fe ddaeth hi'n ôl i'r siop fach y ferch hapusa yn y byd . . .

* * * *

Am chwarter i ddau y prynhawn hwnnw, roedd y dyrfa'n dechrau casglu y tu allan i Siop Gwalia, a'r plismyn yn brysur yn cadw trefn ar bawb a phopeth yn y stryd. Y tu mewn i'r siop roedd criw bychan yn aros am y foment fawr, ac yn cael cip nawr ac yn y man i weld oedd y dyrfa'n mynd yn fwy. Doedd dim angen iddyn nhw ofni dim. Roedd cannoedd o bobl allan ar y pafin ac ar y ffordd ei hun, a thraffig un-ffordd oedd hi drwy'r Stryd Fawr erbyn hyn.

Yn nrws y siop roedd dau focs cryf wedi eu gosod, a phedwar plismon — cryfach na'r bocsys — yn sefyll o'u blaen gan wynebu'r dyrfa. Yna, yn union am ddau o'r gloch, dyma blismyn eraill yn clirio ffordd o ddrws ar ochr yr adeilad i Dafydd Williams gael dod drwodd. Gyda fe roedd gŵr ifanc a chlogyn mawr hir-at-ei-draed dros ei ysgwyddau, a het fawr wedi ei thynnu i lawr dros ei wyneb. Anodd iawn oedd ei nabod e. Fe aeth Dafydd Williams i ben un o'r ddau focs, a'r gŵr ifanc yn sefyll wrth ochr y bocs a'i gefn e at y dyrfa. Dyna weiddi mawr pan aeth Dafydd i ben y bocs.

'Annwyl gyfeillion,' dechreuodd Dafydd Williams.

'Hwrê' fawr oddi wrth y bobl, ifanc a hen.

'Mae hwn yn ddiwrnod mawr yn fy hanes i ac yn hanes y dref yma.'

'Hwrê' eto.

'Dyma fi'n agor y siop-farchnad gynta yn y dref yma . . . a'r ola, gobeithio.'

Chwerthin mawr.

'Wrth gwrs, roedd rhaid cael person pwysig, enwog i agor siop mor bwysig â hon. Roeddwn i wedi disgwyl ac wedi trefnu cael y canwr enwog Tomi Ffowc yma heddiw, ond rydw i'n ofni fod rhaid i fi eich siomi chi lle mae Tomi yn y cwestiwn. Dydy e ddim yma.'

Gweiddi mawr gan y bobl ifanc, a llawer 'Bŵ' i'w glywed. Roedd yn amlwg fod y bobl ifanc wedi cael eu siomi. On'd oedd rhai ohonyn nhw wedi ei weld e y noson cynt? Beth oedd wedi digwydd iddo fe?

Fe gododd Dafydd ei law i geisio'u tawelu, ond dal i weiddi roedd yr ifanc.

'Ond . . .' gwaeddodd Dafydd nerth ei ben. 'Ond . . .'

Ond doedd dim iws. Dyma rywun yn y dyrfa'n dechrau siantio, —

'Tomi Ffowc! Tomi Ffowc! Tomi Ffowc!'

Fe gydiodd pawb yn y siant wedyn.

'Tomi Ffowc! Tomi Ffowc! Ble . . . mae . . . Tomi Ffowc?'

Edrychodd Dafydd o'i gwmpas yn wyllt. Doedd e ddim yn disgwyl byddai'r dyrfa'n troi fel hyn. Fe edrychodd e ar y plismyn, ond allen nhw wneud dim. Yn wir, roedd hi'n draed moch ar Dafydd ac ar y Seremoni i gyd.

Ond fe gadwodd un person ei ben — y gŵr ifanc yn y clogyn hir a'r het fawr. Fe welodd e na allai Dafydd gael dim trefn ar y dyrfa, ac felly, dyma fe'n tynnu ei glogyn a'i het a neidio ar ben yr ail focs. Fe gododd ei law a gweiddi, —

'Tawelwch, os gwelwch yn dda!'

Ar unwaith, dyma rywun yn nabod y gŵr ifanc.

'Bryan Powys! Hwrê, hwrê!'

Fe ddechreuodd pawb weiddi'r enw wedyn, ac roedd yn amlwg o'r sŵn fod Bryan Powys yn fwy poblogaidd hyd yn oed na Tomi Ffowc.

Safodd Bryan ar y bocs gan wenu ar y dyrfa a thaflu cusanau yma ac acw. Roedd y dyrfa wrth ei bodd . . . ar ben ei digon! On'd bachgen o Dalfynydd oedd Bryan, a phawb yn ei nabod e? Gwthiodd y dyrfa ymlaen ac fe gafodd y plismyn waith y byd i gadw'r rhai oedd ar y blaen rhag rhuthro ar yr arwr ifanc. Y tu mewn i'r siop roedd gŵr bach arall wrth ei fodd hefyd. Mor falch oedd e o weld y derbyniad roedd Bryan yn ei gael gan y dyrfa. Roedd e'n wên i gyd, a'i gydwybod yn gorffwys yn dawel ar ôl wythnosau hir o ing a gofid.

O'r diwedd roedd y dyrfa'n dawel . . . wel, yn ddigon tawel i'r rhai oedd ar y blaen glywed beth roedd gan Bryan i'w ddweud.

'Ffrindiau!' meddai fe.

Gweiddi a sgrechian mawr.

'Rydw i'n falch o'r cyfle yma i ddod i Dalfynydd, yr hen dref annwyl, unwaith eto. Talfynydd ydy'r lle mwya annwyl yn y byd.'

Sgrechian eto.

'Rydw i'n arbennig o falch o fod yma heddiw ar ddiwrnod mor bwysig yn hanes y dref. Mae'n anrhydedd o'r mwya i fi fod Dafydd Williams . . . *Mr.* Dafydd Williams . . . wedi gofyn i fi . . . ie, fi, rhyw ganwr bach ('Na! Na! Canwr mawr! ' oddi wrth y dyrfa) i agor y siop-farchnad ardderchog yma. Y tu mewn i'r siop yma mae pob math o bethau da, ac rydw i'n siŵr fod Dafydd Williams yn gwneud cymwynas fawr â'r dref yma drwy agor y siop-farchnad gynta yn Nhalfynydd. Fe fydd y siop yn llwyddiant mawr, rydw i'n siŵr o hynny.'

Rhagor o weiddi, a Bryan yn taflu rhagor o gusanau i'r dyrfa. Fe aeth Bryan ymlaen, —

'A nawr, mae'n bleser o'r mwya gen i agor y siop-farchnad fawr, fodern, newydd hon, gan ddiolch i Mr. Dafydd Williams yr un pryd am roi'r anrhydedd o'i hagor hi i fi.'

Daliodd Bryan allwedd y siop yn uchel i bawb ei gweld, ac fe gododd sŵn y dyrfa yn un don fawr nes bod y llechi ar adeiladau'r stryd yn hollti bron. Pan dawelodd y sŵn ryw ychydig, fe aeth Bryan ymlaen unwaith eto, —

'Yn fy llaw arall,' meddai fe gan ddal carden fach i bawb ei gweld, 'mae'r garden yma. Mae hon yn werth pum punt i'r cwsmer cynta fydd yn mynd drwy'r drws. Peidiwch â rhuthro nawr. Dydw i ddim wedi agor y drws eto.'

Chwerthin mawr, a dyma Bryan yn neidio oddi ar ei focs.

'A nawr rydw i'n troi'r allwedd yn y drws.'

Clic! Clic! meddai nifer o gamerâu yma ac acw, ac ar unwaith fe agorodd y drws mawr i'r siop, ac fe ddaeth dau ddyn cryf a chipio'r ddau focs i ffwrdd. Fe adawodd y plismyn i un cwsmer fynd at y drws — neb llai na mam Wil bach fuodd yn chwilio am samwn a thomatos i Wil gael mynd ar drip yr ysgol ers llawer dydd. Roedd hi wedi bod wrth y drws ers naw o'r gloch y bore yn benderfynol o fod y cynta i mewn i'r siop. Dyna waedd fawr arall pan roiodd Bryan y garden iddi hi, a hithau'n ei dangos hi wedyn i'r dyrfa fel capten tîm pêl-droed yn dangos ei gwpan arian. I mewn â mam Wil i'r siop, a'r plismyn yn cael gwaith i gadw pawb arall yn ôl. Ond ar ôl hanner munud, dyma'r sarjant oedd yn un o'r pedwar plismon wrth y drws yn nodio'i ben ar y tri arall. Symudodd y pedwar yn ôl i'r ochr a dyma'r dyrfa'n llifo i mewn i'r siop — rhai i weld a phrynu, eraill i gael cip arall ar Bryan Powys. Roedd Dafydd a Bryan wedi brysio i mewn drwy'r drws yn union wedi i Bryan ei agor. A nawr roedd e, Bryan, yn eistedd ar gadair ar lwyfan bach ym mhen draw'r siop, bwrdd o'i flaen a phin sgrifennu yn ei law, a hanner dwsin o'r gweithwyr cryfa yn Siop Gwalia yn barod i atal unrhyw un rhag rhuthro arno fe. Am yr awr nesa roedd Bryan wrthi'n brysur yn sgrifennu ei enw ar lewys recordiau o'i ganeuon ac yn eu gwerthu nhw i'r bobl ifanc — ac nid i'r bobl ifanc yn unig chwaith. Roedd ar bawb eisiau copïau o recordiau Bryan. Roedd e wedi bod yn ddigon call, a chyfrwys hefyd, i ddod â nifer mawr o'i recordiau gyda fe ar ôl i'w ewyrth Lewis Phillips fod ar ei ôl e ar y ffôn y noson cynt. Fe werthodd e bob un record oedd ganddo fe y prynhawn hwnnw.

Wedi gwerthu'r cwbl o'r recordiau, fe aeth Lewis Phillips ag e adref i'w dŷ i de. Ac fe aeth e ag Eirwen hefyd. Roedd hi ar ben ei digon achos roedd Bryan yn barod i ganu ei chân. Fe redodd hi adref nerth ei thraed i nôl copi ohoni hi. Fe fydd Bryan yn gwneud record Gymraeg ac un Saesneg ohoni hi, roedd e'n ei hoffi hi gymaint. 'Mae nghalon i'n wag'! Fe sylweddolodd Eirwen fod ei chalon yn wir yn wag pan ddaeth yr amser i Bryan fynd yn ôl i Abercennin lle roedd e'n canu yr wythnos honno. Fe aeth hi at ei gar gyda fe, ond cyn iddo fe fynd i mewn i'r car, fe gydiodd e yn llaw Eirwen ac edrych i'w llygaid hi.

'Fe fydda i'n dod yn ôl i Dalfynydd yn fuan, Eirwen. Ga i dy weld di bryd hynny?'

Fe edrychodd Eirwen yn swil arno fe a'i bochau hi'n llosgi fel tân. Doedd dim angen iddi hi ddweud gair. Roedd yr ateb yn ei llygaid. Gwasgodd Bryan ei llaw yn dynnach, ac yna, plygu ymlaen a'i chusanu hi'n ysgafn ar ei gwefusau. Roedd Eirwen yn nofio ar ryw gwmwl gwyn.

'Fe wela i di, te,' meddai Bryan, a'r eiliad nesa roedd e yn ei gar ac yn cychwyn y peiriant. 'Da bot ti, Eirwen,' ac i ffwrdd â fe.

Edrychodd Eirwen ar y car yn mynd.

'Da bot ti . . . Bryan,' meddai hi er nad oedd dim gobaith fod Bryan yn ei chlywed hi. Dododd hi ei bysedd wrth ei gwefusau lle roedd y llanc wedi gadael mêl ei wefusau yntau. Yna'n araf fel pe bai hi mewn breuddwyd, fe aeth Eirwen yn ôl i Siop Gwalia, yn nofio o hyd ar ei chwmwl gwyn.

Yn ôl yn Siop Gwalia roedd pethau'n dechrau dod i drefn a'r cwsmeriaid yn mynd o silff i silff, ac o gownter i gownter gan lanw eu basgedi ar eu ffordd. Roedden nhw'n synnu gweld cymaint rhatach oedd y prisiau yn y siop yma o'u cymharu â'r prisiau yn siopau eraill y dref. Fe fydden nhw'n dod yma yr wythnos nesa; fe fyddan nhw'n dod bob wythnos, fel dwedodd Dafydd Williams oedd yn sefyll wrth y drws mawr gan wenu ar bawb a phopeth, a gwrando ar yr un pryd ar sŵn y tils arian yn canu eu cân — y gân felysa yn y byd i glustiau Dafydd, a Marged Bowen oedd yn sefyll wrth ei ochr e.

'Fel hyn bydd hi yma bob wythnos nawr,' meddai Dafydd.

'Gobeithio'n wir . . . Ie, gobeithio,' meddai Marged. Roedd hi wedi mentro'i harian i gyd ar y siop yma, er nad oedd Dafydd yn gwybod hynny . . . eto . . .

19

EPILOG

Ydy, mae Siop Gwalia'n llwyddiant mawr. Ewch i Dalfynydd rywfore — yn enwedig ar fore Gwener neu Sadwrn — ac fe allwch chi weld drosoch chi'ch hunain. Mae holl freuddwydion a gobeithion Dafydd Williams wedi dod yn ffaith. Roedd hi'n werth yr holl lafur a gwaith caled i gyd, a Dafydd yn falch ei fod e wedi mentro. 'Does dim llwyddiant heb fentro,' — dyna beth mae e'n ei ddweud yn aml. Mae Nan yn falch hefyd achos does dim rhaid iddi hi ymladd o ddydd i ddydd i gael dau ben llinyn ynghyd.

Mae'r un peth yn wir am bobl y dref a'r ardal o gwmpas; maen nhw'n falch hefyd o'r siop achos mae pob peth dan haul bron i'w gael yno, a hynny'n rhatach nag mewn un siop arall. Wel, mae popeth yn rhatach yno ond esgidiau, a does dim angen dweud pam. Mae Dafydd Williams a Lewis Phillips yn deall ei gilydd yn dda iawn erbyn hyn. Ond rhatach neu beidio, does dim sôn fod unrhyw un o siopwyr Talfynydd wedi mynd yn fethdalwr eto, dim ond fod eu derbyniadau nhw ychydig yn llai nawr nag oedden nhw.

Y peth od ydy hyn — dydy Dafydd Williams ddim yn gwybod hyd heddiw pwy ydy perchennog y siop, achos dydy e ddim eto wedi rhoi ei enw wrth unrhyw bapurau na gweithredoedd. Ond dydy e ddim yn poeni rhyw lawer am hynny achos mae ochr ariannol y busnes yn dal yn nwylo Reginald Roberts a Roland Prys o hyd. Mae Dafydd yn cael deugain punt yr wythnos ganddyn nhw o elw'r siop nes bydd costau prynu'r hen Walia a chostau ei throi hi'n siop fawr a'i stocio hi wedyn wedi cael eu clirio.

Pwy fydd perchennog y siop wedyn, wedi clirio'r holl gostau? Wel, fydd Miss Marged Bowen ddim byw byth. Dafydd Williams a'i wraig, Nan, fydd y perchenogion wedyn, ac yna, Eirwen . . . Mae Marged Bowen wedi dweud hynny, er mai dim ond un person sy'n gwybod hynny ar hyd o bryd, sef Reginald Roberts.

Mae Eirwen yn dal i nofio ar ei chwmwl gwyn o hyd achos mae Bryan Powys yn ymweld yn aml iawn â Thalfynydd y dyddiau yma, ac nid dod i weld ei ewyrth, Lewis Phillips, mae e. Fe fydd Eirwen yn mynd ymlaen i'r brifysgol cyn bo hir i astudio cerddoriaeth a drama. Do, do; fe gafodd hi ei lefel A, ond mae hi wedi penderfynu peidio â mynd yn athrawes — fe fydd digon o gyfle iddi hi ddefnyddio'i thalentau yn y dref a'r cefn gwlad o gwmpas, meddai hi. Fe fydd Bryan Powys yn aelod o'r dref neu'r cefn gwlad erbyn hynny, mae'n siŵr. Fe fydd Siop Gwalia'n mynd â llawer o'i hamser hi hefyd wedi iddi hi orffen yn y brifysgol. Roedd gan Modryb Marged lawer i'w wneud â'r penderfyniad o beidio â mynd yn athrawes. Roedd hi wedi sylweddoli ers llawer dydd fod pen busnes ardderchog gan Eirwen, ac mae arni hi eisiau i'r siop fod yn ei gofal hi wedi i ddyddiau Dafydd a Nan ddod i ben — mae ar Marged Bowen eisiau bod yn siŵr bydd ei harian hi'n aros yn y teulu am genedlaethau i ddod, ac mae gobaith bydd un genhedlaeth newydd beth bynnag ryw bryd, er mai Powys fydd yr enw, mae'n debyg. Ond fe fydd llawer o ddŵr yn rhedeg dan yr hen bont ym Mhont-y-Pandy cyn bydd hynny'n digwydd.

Beth am y siop fach rownd y gornel nawr? O, mae'r llenni i lawr dros ei ffenestri hi erbyn hyn, er bod y teulu'n dal i fyw y tu ôl i'r siop. Ond fyddan nhw ddim yn aros yno'n hir nawr. Mae Nan a Modryb Marged yn prysur chwilio am dŷ newydd — mwy o faint, wrth gwrs. Siopwr mawr . . . wel, tŷ mawr, siŵr iawn, ac mae Dafydd Williams yn siopwr mawr nawr, ac mae'r Siamber Fasnach wedi gofyn iddo fe fynd yn aelod atyn nhw. Fe fydd e'n un da i ymladd drostyn nhw os bydd rhywun arall yn bwriadu agor siop newydd yn y dref. Ac i sôn am Marged Bowen unwaith eto. Synnwn i ddim na fydd hi'n mynd i fyw at y teulu — ar ôl gwerthu'r siop fach ym Mhont-y-Pandy. Wn i ddim sut bydd Dafydd yn hoffi hynny, ond maen nhw'n ddigon o ffrindiau nawr.

O, ie! Y deuddeg can punt yna! Pan welodd Dafydd fod y siop newydd yn gwneud elw mor dda, doedd arno fe ddim ofn dweud yr holl hanes wrth Reginald Roberts.

NOTES ON SENTENCE PATTERNS

Since this novel is intended for advanced learners, only the complex sentence patterns are dealt with in these notes. The reader will already be fully acquainted with simple sentence patterns and their variations. He will also know in detail the various tenses of the verb BOD — present, perfect, past and future —, the past tenses of other verbs, and the conjugations of prepositions. But one new tense of BOD is introduced in the text of the novel, viz., the conditional tense, which is conjugated as follows, —

fe fyddwn i — *I would, I would be*
fe fyddet ti — *you (thou) would, you would be*
fe fyddai fe/hi — *he/she would, he/she would be*
fe fyddai'r dyn — *the man would, the man would be*
fe fydden ni — *we would, we would be*
fe fyddech chi — *you would, you would be*
fe fydden nhw — *they would, they would be*
fe fyddai'r dynion — *the men would, the men would be*

The interrogative and negative forms follow the usual pattern, —

fyddwn i ddim, etc. — *I would not, I would not be, etc.*
fyddwn i? etc — *Would I? Would I be? etc.*

A few concise forms (the present/future tense) of other verbs, e.g., 'galla i' ('I can'), and the conditional 'gallai fe' ('he could') have also been introduced. Instances of these occur in the examples of sentence patterns which follow, so that it is unnecessary to list them here.

It is usual in a book of this kind to list the notes on the text page by page, or as footnotes to each page of text, but a different arrangement has been adopted here in that the examples of the various complex sentence patterns have been grouped together according to their kind. This, it is felt, will make it easier for the reader to familiarize himself with these patterns and to understand them the more readily. If the reader has learnt his Welsh by the bilingual method.
already been mentioned in the Preface, that he should read through the examples and their translation before commencing to read the novel. He will certainly find the novel easier to understand and more enjoyable as a result. A minimum of technical language has been used in explaining each pattern; it is felt that the reading and study of an abundance of examples will give a better understanding of the patterns than will any technical and grammatical explanation. This will be especially true if the reader is not well acquainted with these patterns, it is suggested, as has

1. ADJECTIVE CLAUSES WITH 'SY'

. . . the man who is sleeping (or, the man who sleeps)
. . . the men who are sleeping (or, the men who sleep)

In sentences such as these, **who is** and **who are** (and also **which is/are** and **that is/are** are translated by **sy.**

Dydych chi ddim yn meddwl rhedeg sinema **sy'n colli arian bob wythnos.**

You are not thinking of running a cinema *that is losing money every week.*

Fe fydd y siopwr yma **sy ar y Cyngor** yn gwneud ei orau glas i'ch rhwystro chi . . .

This shopkeeper *who is on the Council* will do his level best to hinder you . . .

. . . dynion **sy'n gweithio yn y ddwy ffatri** ydy'r rhan fwya o'r dynion **sy ar y Cyngor.**

. . . men *who work (are working) in the two factories* are the greater part of the men *who are on the Council.*

Felly, pawb **sy dros y cynnig,** codwch eich dwylo.

So, all *who are for the proposition,* raise your hands.

. . . er mai dim ond un person **sy'n gwybod hynny ar hyn o bryd.**

. . . though it is only one person *who knows (is knowing) that at present.*

. . . rhoi pob rhwystr **sy'n bosibl** ar ei ffordd e.

. . . to put every obstacle *that is possible* in his way.

The idiom for **I have (I possess)** is **Mae gen i** (or, **Mae gyda fi). Mae** again becomes sy in adjective clauses containing this idiom, —

. . . the book **which I have . . .**

. . . y llyfr **sy gen i** (or, **sy gyda fi)** . . .

Fe fyddai'n well i chi wneud i'r siop **sy gennych chi'n barod** dalu'r ffordd yn gynta.

You had better make the shop *you already have* pay its way first.

Hen siop rownd y gornel ydy honna **sy gen i nawr.**

An old shop around the corner is that one *I have now.*

Hoffech chi weld y pâr esgidiau yma **sy gen i yn y parsel . . .**

Would you like to see this pair of shoes *I have in the parcel* . . .

. . . i gynhesu'r galon rew yna **sy gen ti.**

. . . to warm that heart of ice *that you have.*

'Possession' can also be expressed with 'sy' by means of 'â' ('ag' before vowels) meaning 'with', —

. . . bobl **sy â'u henwau yn y llyfr.**

. . . people *who have their names in the book.*

. . . nes ei fod e'n gweld rhywun sy **â meddyliau drwg yn ei galon.**

. . . until he sees someone *who has evil thoughts in his heart.*

'To owe' is expressed in Welsh by means of the preposition 'ar' with the appropriate form of the verb 'bod', —

. . . gadw cymaint o sŵn ynglŷn â'r ychydig **sy arna i iddyn nhw . . .**

. . . to make so much noise concerning the little (*that*) *I owe them.*

Sy ' is also used in the perfect tense, —

. . . the man who has slept . . .

. . . y dyn sy wedi cysgu . . .

though there are no examples of this use in the story.

2. ADJECTIVE CLAUSES WITH ' OEDD '

. . . the man who was sleeping (or, the man who slept — continuous tense)

. . . the men who were sleeping (or, the men who slept — continuous tense)

Who was and **who were** (as well as **which was/were** and **that was/were**) are translated by **oedd** (literary Welsh **a oedd**).

. . . rhywun **oedd yn siŵr o dynnu pobl i brynu yn y siop fach.**

. . . someone *who was sure to draw people to buy in the little shop.*

. . . hen ddilladau **oedd yn mynd yn ôl i amser Victoria.**

. . . old clothes *that went* (*were going*) *back to Victoria's time.*

. . . un o'r cwmnïau yma **oedd yn gwneud dim ond casglu dyledion.**

. . . one of these companies *that did* (*were doing*) *nothing but collecting debts.*

. . . un o'r rhai **oedd yn gallu troi ceiniog yn ddeg.**

. . . one of those *who could* (*were able*) *to turn a penny into ten.*

Fe aeth y saith milltir a hanner **oedd eto i'r Bont** yn gyflym iawn.

The seven and a half miles *that were remaining* (*yet*) *to the Bont* went very quickly.

Roedd e'n gweld ei gwerth hi'n fwy a mwy gyda phob dydd **oedd yn mynd heibio.**

He saw her worth more and more with each day *that passed* (*went by*).

. . . y bobl **oedd yn mynd i'r neuaddau bingo.**

. . . the people *who went* (*were going*) *to the bingo halls.*

. . . digon i ddwy ferch **oedd yn tynnu llwch yma ac acw** wneud eu gwaith.

. . . enough for two girls *who were dusting here and there* to do their work.

Ond fyddai neb yn gallu dweud yr ofn **oedd yn ei galon e . . .**

But no one would be able to tell the fear *that was in his heart . . .*

. . . cusan fawr i Nan **oedd ar y pryd yn gweithio'r peiriant torri cig moch.**

. . . a big kiss to Nan *who was at the time working the bacon cutting machine.*

. . . y ffilmiau **oedd yn cael eu dangos yn Y Gwalia.**
. . . the films *that were being shown in The Gwalia.*

Fe oedd yr unig aelod o'r Siamber **oedd hefyd yn aelod o Gyngor y Dref.**

He was the only member of the Chamber *who was also a member of the Town Council.*

. . . a'r unig rai **oedd yn gallu rhoi'r caniatâd iddo fe** oedd Cyngor y Dref.

. . . and the only ones *that could* (*were able*) *to give him the permission* were the Town Council.

Un peth mawr **oedd yn eu plesio nhw** oedd fod y pensaer wedi llwyddo i gadw ' cymeriad ' y lle.

One important (big) thing *that pleased* (*was pleasing*) *them* was that the architect had succeeded in keeping the ' character ' of the place.

Ond ddwedodd Dafydd ddim wrtho fe am y broblem fawr **oedd yn ei boeni fe.**

But Dafydd told him nothing of the great problem *that was worrying him.*

There are many other similar examples of adjective clauses with ' oedd ' in the text.

' Oedd ' is used with ' wedi ' to form the pluperfect tense, —

. . . the man who had slept . . .
. . . y dyn oedd wedi cysgu . . .
. . . y llais tenor melodaidd **oedd wedi dod â llawer o gwsmeriaid i'r banc yn Y Stryd Fawr.**
. . . the melodious tenor voice *that had brought many customers to the bank in High Street.*
. . . fel dyn **oedd wedi eistedd yn sydyn ar bocer poeth.**
. . . like a man *who had suddenly sat on a hot poker.*
. . . y dyn **oedd wedi gwrthod arian iddo fe y tro cynta** . . .
. . . the man *who had refused him money the first time* . . .
. . . roedd pawb **oedd wedi cwrdd â Mrs. Mam Olwen Morgan** wedi cael y ffeithiau.
. . . every one *that had met Mrs. Olwen Morgan's Mother* had had the facts.
. . . roedd y diawl **oedd wedi dwyn y rhestr** wedi gwneud copi ohoni hi.
. . . the devil *who had stolen the list* had made a copy of it.

' Oedd ' is used with forms of ' gan ' to denote possession (past tense), —

. . . y llyfr oedd gen i . . .
. . . the book which I had . . .
. . . i weld yr unig berthnasau **oedd ganddi hi yn y byd.**
. . . to see the only relatives (*that*) *she had in the world.*

Roedd Dafydd yn synnu cymaint o ddiddordeb **oedd ganddi hi yn y fenter newydd.**

Dafydd was amazed how much interest *she had in the new venture.*

Note the following sentence and the use of 'heb' in it, —

Roedd Dafydd yn cofio'r ddau fil **oedd heb eu talu eto.**

Dafydd remembered the two bills *that were still unpaid* (*that were without their paying yet*).

3. ADJECTIVE CLAUSES CONTAINING SIMPLE PAST TENSE OF VERBS

. . . the book I lost . . .

. . . y llyfr gollais i . . .

In literary Welsh the verb in the adjective clause is preceded by the relative pronoun 'a'.

Doedd hi ddim yn disgwyl yr ateb **gafodd hi gan Dafydd.**

She was not expecting the answer *she got from Dafydd.*

Rhywbeth **ddigwyddodd i Nan** oedd e iddi hi.

Something *that happened to Nan* was he to her.

. . . bron iddo fe ddweud yr holl stori wrth y dyn **gododd e yn ei gar.**

. . . he almost told the whole story to the man *who picked him up in his car.*

. . . heb sôn am fod yn wraig a merch i ŵr **gymerodd ei fywyd ei hun.**

. . . not to mention being the wife and daughter of a man *who took his own life.*

. . . a dyna'n siŵr **gadwodd e, wel . . . o'r ffwrn nwy.**

. . . and it was that for sure *which kept him, well . . . from the gas stove.*

Dyma beth **glywais i** . . .

This is *what I heard* . . .

. . . mil o bunnoedd ar ben **yr hyn dalodd Marged Bowen** . . .

. . . a thousand pounds on top of *what Marged Bowen paid* . . .

. . . fe ddaeth llythyr **wnaeth i galon Dafydd suddo o'i frest i'w esgidiau.**

. . . a letter came *which made Dafydd's heart sink from his chest to his shoes.*

. . . y pryd o dafod **gafodd e gan Shadrach Jones.**

. . . the tongue pie (the meal of tongue) (*which*) *he got from Shadrach Jones.*

Dyna'r ergyd waetha **gafodd e erioed** . . .

That was the worst blow *he ever had* . . .

Do, fe gofiodd Dafydd ddau beth **gododd dipyn ar ei galon e.**

Yes, Dafydd remembered two things *that raised his spirits* (*heart*) *a bit.*

Yr ail beth **gofiodd e . . .**
The second thing (*that*) *he remembered . . .*
Roedd enwau'r cwmnïau ar y rhestr **gollodd e o'r siop.**
The names of the companies were on the list (*which*) *he lost from the shop.*
. . . y gŵr **gynlluniodd y peth . . .**
. . . the man *who* (*had*) *planned the thing . . .*
. . . y gŵr **aeth am dro un prynhawn gyda'r diafol . . .**
. . . the man *who went for a walk one afternoon with the devil . . .*
. . . i wybod am y tro brwnt **chwaraeodd e ar Dafydd Williams . . .**
. . . to know of the dirty trick *he played on Dafydd Williams . . .*
. . . neb llai na mam Wil bach **fuodd yn chwilio am samwn a thomatos.**
. . . none other than little Wil's mother *who had been looking for salmon and tomatoes.*

4. ADJECTIVE CLAUSES WITH THE FUTURE TENSE OF 'BOD'

. . . the man who will be receiving the money . . .
. . . y dyn fydd yn derbyn yr arian . . .

In literary Welsh the verb in the adjective clause is preceded by the relative pronoun 'a'.

. . . a chodi fy llaw ar ryw gar **fydd yn pasio.**
. . . and raise my hand on some car *that will be passing.*
. . . rhyw gyw bach o ganwr **fydd yn apelio at y bobl ifanc.**
. . . some little sprig of a singer *who will appeal to the young people.*
Os na fydd dim profiad gan y bobl **fydd yn cynnig am waith . . .**
If the people *who will be seeking work* have no experience . . .
Mae hon yn werth pum punt i'r cwsmer cynta **fydd yn mynd drwy'r drws.**
This is worth five pounds to the first customer *who will go through the door.*

5. ADJECTIVE CLAUSES WITH THE CONDITIONAL TENSE OF 'BOD'

. . . a man who would sell his wife . . .
. . . dyn fyddai'n gwerthu ei wraig . . .

Here too the verb is preceded by the relative pronoun 'a' in literary Welsh.

Roedd rhyw ffordd ganddo fe . . . **fyddai'n gwneud i chi roi mwy ar y plât . . .**
He had a way . . . *which would make you put more on the plate . . .*
Ond doedd e ddim yn siŵr o'r croeso **fyddai'n ei aros e.**
But he was not sure of the welcome *that would await him.*
Meddyliwch am yr arian **fyddai mewn siop fel yna.**

Think of the money *that would be in a shop like that.*

Rydw i'n gwybod am berson **fyddai'n falch iawn o gael Y Gwalia.**

I know of a person *who would be very glad to have The Gwalia.*

. . . i'r cwsmer cynta **fyddai'n mynd drwy'r drysau wedi agor y siop.**

. . . to the first customer *who would go through the doors after opening the shop.*

Roedd rhaid cael rhywun **fyddai'n tynnu'r bobl ifanc i'r siop hefyd.**

Someone *who would draw the young people as well to the shop* had to be found.

Doedd Dafydd ddim yn gallu meddwl am neb **fyddai mor ofnadwy o ddrwg â gwneud y fath beth.**

Dafydd could not think of anyone *who could be so terribly evil as to do such a thing.*

6. ADJECTIVE CLAUSES CONTAINING POSSESSIVE PRONOUN WITH THE VERB NOUN

. . . the book that I am reading . . .

. . . y llyfr rydw i'n ei ddarllen . . .

A literal translation of the Welsh sentence would be, —

. . . the book I am reading it . . .

Readers will be familiar with this pattern as a simple sentence. It also occurs in an early sentence the reader learns, —

. . . Beth mae e'n ei wneud?

. . . y pris **mae e'n ei ofyn am yr adeilad.**

. . . the price *he is asking for the building.*

Dwyt ti wedi gwneud dim ond taflu dŵr oer dros bopeth **rydw i wedi ei ddweud neu ei wneud.**

You have done nothing but pour cold water over every thing *I have said or done.*

. . . ar ôl yr holl hysbysebu **rydyn ni wedi ei wneud.**

. . . after all the advertising (*that*) *we have done.*

. . . y ceiniogau **roedd Dafydd Williams yn eu cael fel hyn.**

. . . the pence (*that*) *Dafydd Williams got like this.*

. . . yr hen gotiau hir gwyn **roedd Dafydd yn eu gwisgo yn y siop.**

. . . the long old white coats *Dafydd wore* (*was wearing*) *in the shop.*

. . . a'r bobl **roedd e'n eu gweld yn y stryd.**

. . . and the people *he saw* (*was seeing*) *in the street.*

. . . ar dôn **roedden nhw'n ei chanu'n aml yn y capel.**

. . . on a tune *that they often sang* (*were singing*) *in chapel.*

. . . yr arian mawr **roedd ei eisiau i gael ffilmiau modern.**

. . . the big money *that was needed to get modern films.*

. . . y math o esgidiau **roedd e'n eu hoffi.**

. . . the kind of shoes *that he liked* (*was liking*).
. . . y cownterau **roedd yr adeiladwyr yn eu prysur ddodi yn y siop.**
. . . the counters *the builders were busily putting up in the shop.*
Dyma fe'n cofio am ffilm **roedd e wedi ei gweld flynyddoedd mawr yn ôl.**
He remembered a film *that he had seen many years before.*
. . . y drws **roedd Dafydd wedi ei adael ar agor ar ei ôl.**
. . . the door *Dafydd had left open behind him.*
. . . y llais tenor melodaidd **roedd Duw wedi ei roi iddo fe.**
. . . the melodious tenor voice *God had given him.*
. . . y geiriau anfoneddigaidd **roedd Dafydd wedi eu defnyddio.**
. . . the ungentlemanly words *Dafydd had used.*
. . . y darn papur **roedd e wedi ei ddwyn o siop Dafydd Williams.**
. . . the piece of paper *he had stolen from Dafydd Williams' shop.*
. . . y llythyr **roedd e wedi bod yn ei ddisgwyl ers peth amser.**
. . . the letter *he had been expecting for some time.*
Roedd y peth **roedd Dafydd wedi bod yn ei ofni'n fwy na dim . . .**
The thing *that Dafydd had been afraid of more than anything . . .*
Fe dynnodd Lewis Phillips y rhestr **roedd e wedi ei dwyn** o'i boced.
Lewis Phillips took out the list *that he had stolen* from his pocket.
. . . yr arian **roedd Dafydd yn gallu ei roi iddi hi.**
. . . the money *that Dafydd was able to give her.*
. . . doedd dim **roedd hi'n gallu ei wneud.**
. . . there was nothing *that she could* (*was able to*) *do.*
. . . a'r cwbl **roedd ei thad yn gallu ei ddweud** oedd . . .
. . . and all *her father was able to say* was . . .
Oes dim **gallwn ni ei wneud?**
Is there nothing *that we can do?*
Ond does dim **galla i ei wneud nawr.**
But there is nothing *that I can do now.*
Dyna'r peth lleia **galla i ei wneud i ddiolch iddo fe.**
That's the least (thing) *I can do to thank him.*
. . . unrhywbeth **galla i ei wneud,** fe fydda i'n falch o'i wneud.
. . . any thing *I can do,* I shall be glad to do it.

(Here is one example of the concise form of a verb with a direct object in an adjective clause, —

. . . a does dim **allith frathu mor gas â chydwybod.**
. . . and there is nothing *that can bite so nastily as conscience*).

7. ADJECTIVE CLAUSES WITH PREPOSITIONS

. . . the chair on which I am sitting (I am sitting on) . . .
. . . y gadair rydw i'n eistedd arni . . .

The preposition must agree in number and person with its antecedent.

. . . y cwmnïau **roeddet ti'n sôn amdanyn (nhw).**

. . . the companies *you were talking about.*
. . . pawb **roedd arno fe arian iddyn nhw.**
. . . everyone *he owed money to.*
. . . y pris **roedd y perchennog yn gofyn amdano.**
. . . the price *the owner was asking (for).*
. . . y banc **roedd Roland Prys yn was mor dda iddo.**
. . . the bank *to which Roland Prys was such a good servant.*
. . . y cynghorwr **roedd e wedi cynnig pâr o esgidiau iddo.**
. . . the councillor *to whom he had offered a pair of shoes.*
. . . y cyfle **roedd hi wedi bod yn edrych ymlaen gymaint ato.**
. . . the opportunity *that she had been looking forward to so much.*
. . . un peth arall **roedd Reginald Roberts wedi gofalu amdano.**
. . . one other thing *Reginald Roberts had taken care of.*

NOTE: There is only one NEGATIVE ADJECTIVE CLAUSE in the text, —

. . . ac fe ddefnyddiodd e air **na allwn ni mo'i brintio yma.**
. . . and he used a word *that we cannot print here.*

8. NOUN CLAUSES WITH 'BOD'

. . . He says that he is going . . .
. . . Mae e'n dweud ei fod e'n mynd . . .
. . . He said that he was going . . .
. . . Fe ddwedodd e ei fod e'n mynd . . .

In noun clauses that contain the present tense or the imperfect tense of the verb 'to be' ('bod') the 'BOD' pattern is used. To be able to use the pattern it is necessary to know the following, —

fy mod i	—	*that I am, that I was*
dy fod ti	—	*that you are (thou art), that you were*
ei fod e	—	*that he is, that he was*
ei bod hi	—	*that she is, that she was*
ein bod ni	—	*that we are, that we were*
eich bod chi	—	*that you are, that you were*
eu bod nhw	—	*that they are, that they were*
fod y bachgen	—	*that the boy is, that the boy was*
fod y bechgyn	—	*that the boys are, that the boys were*

These forms are used with 'wedi' to form the perfect and pluperfect tenses. They are also used with forms of 'gan' ('gyda') to denote possession, present or past. There are examples of all uses in the list below.

Ond glywaist ti mo Eirwen yn dweud **fod y Gwalia'n cau yr wythnos yma?**
But didn't you hear Eirwen saying *that the Gwalia is closing this week?*
. . . a chofia di hefyd **fod Y Stryd Fawr a Stryd Groes yn gul.**
. . . and remember too *that the High Street and Cross Street are narrow.*

A dweud **dy fod ti o dy go.**
And say *that you are out of your mind.*
Fe fydd y gyrrwr yn meddwl **fy mod i'n ddiweddar yn mynd i angladd . . .**
The driver will think *that I am late going to a funeral . . .*
. . . fe sylwais i **eich bod chi'n gwisgo tei du . . .**
. . . I noticed *that you are wearing a black tie . . .*
Ac mae'n dda gen i weld **eich bod chi'n llawn bywyd fel arfer.**
And I am glad to see *that you are full of life as usual.*
. . . mae rhaid **bod eich neges chi'n un bwysig dros ben.**
. . . it must be *that your message is an exceedingly important one.*
Pwy ddwedodd **fy mod i'n werth fy miloedd?**
Who said *that I am worth my thousands?*
Ydych chi'n meddwl **fy mod i'n dwp?**
Do you think *that I am stupid?*
Fe alla i ddweud wrthyn nhw . . . **eich bod chi'n gwastraffu eich amser.**
I can tell them . . . *that you are wasting your time.*
Ydych chi'n mentro dweud **eich bod chi'n cymryd diddordeb mewn neuaddau bingo?**
Do you venture to say *that you take (are taking) an interest in bingo halls?*
. . . rydw i'n deall **fod yr hen sinema, Y Gwalia, ar werth.**
. . . I understand *that the old cinema, The Gwalia, is for sale.*
Rydw i'n gweld **fod hyn yn dipyn o sioc i chi.**
I see *that this is a bit of a shock for you.*
Rydw i'n siŵr **fod eisiau siop o'r fath yn y dref yma.**
I am sure *that there is need for a shop of the kind in this town.*
. . . i weld **eu bod nhw'n cadw at y rheolau adeiladu.**
. . . to see *that they keep (are keeping) to the building regulations.*
Ac fe fydda i'n dweud **ei bod hi'n ddrwg iawn gen i.**
And I shall say *that I am very sorry.*
Rydw i'n gweld **eich bod chi wedi brysio yma.**
I see *that you have hurried here.*
. . . gan wybod **ein bod ni wedi dod dros y rhwystrau penna . . .**
. . . knowing *that we have overcome the chief obstacles . . .*
. . . ond **fy mod i wedi gofyn i rywun arall berfformio'r seremoni.**
. . . but *that I have asked someone else to perform the ceremony.*
. . . rhag ofn **ein bod ni wedi anghofio rhywbeth.**
. . . for fear (in case) *we have forgotten something.*
Roedd yn syndod iddi hi **fod ei fysedd o hyd ganddo fe.**
It was a surprise to her *that he still had his fingers.*
Dyna beth sy'n dangos **fod pen busnes ganddi hi.**
That's what shows *that she has a business head (a head for business).*

. . . meddwl roeddwn i **fod digon gennych chi i ddod yn bartner gyda fi . . .**
. . . I was thinking *that you had enough to become a partner with me . . .*
Mae'n siŵr **fod rhyw fater pwysig gennych chi i'w drafod.**
It's certain *that you have some important matter to discuss.*
. . . rydych chi'n gwybod ar yr un pryd **fod overdraft gen i yma.**
. . . you know at the same time *that I have an overdraft here.*
Roedd Dafydd yn siŵr **ei bod hi'n berchen ar hanner y tai yn Nhalfynydd erbyn hyn.**
Dafydd was sure *that she was the owner of half the houses in Talfynydd by now.*
Roedd Nan yn gwybod hefyd **ei fod e'n siŵr o godi mater y siop-farchnad eto.**
Nan also knew *that he was sure to raise the matter of the super-market again.*
. . . i Nan weld **fod Dafydd yn benderfynol o fynd i weld Modryb Marged . . .**
. . . for Nan to see *that Dafydd was determined to go and see Modryb Marged . . .*
. . . roeddech chi'n dweud **eich bod chi'n mynd i brynu'r Gwalia.**
. . . you were saying *that you were going to buy The Gwalia.*
Roedd e'n teimlo **fod ei fyd bach e ar ben.**
He felt *that his little world was at an end.*
. . . a'r ffaith **ei fod e'n edrych arno'i hun fel gŵr bonheddig.**
. . . and the fact *that he looked* (*was looking*) *upon himself as a gentleman.*
. . . ddaeth dim un llythyr yn dweud **fod rhaid iddo fe dalu ei ddyled . . .**
. . . no letter came saying *that he had to pay his debt . . .*
Roeddwn i'n meddwl **eich bod chi yn Llundain.**
I thought *you were in London.*
. . . gan feddwl **ei fod e'n rhoi ergyd i Marged.**
. . . thinking *that he was giving Marged a blow.*
. . . pan ddwedodd e **ei fod e'n mynd i agor neuadd bingo.**
. . . when he said *that he was going to open a bingo hall.*
. . . **ei fod e allan o'i go unwaith yn rhagor.**
. . . *that he was out of his mind once again.*
. . . gan feddwl **ei bod hi'n hen bryd iddi hi ffonio'r doctor i'r ddau.**
. . . thinking *it was high time she phoned the doctor for them both.*
Roedd e'n barod i gynnig **eu bod nhw fel pwyllgor yn rhoi eu caniatâd.**
He was ready to propose *that they as a committee should give* (*were giving*) *their permission.*

Fe synnodd e weld **fod arno fe dros ddeuddeg cant o bunnoedd.**
He was surprised to see *that he owed (was owing) over twelve hundred pounds.*
Roedd hi'n gwybod **ei fod e wedi cael siom.**
She knew *that he had had a disappointment.*
Ond piti **fod Dafydd wedi rhuthro allan mor gyflym.**
It was a pity *that Dafydd had rushed out so quickly.*
. . . roedd hi wrth ei bodd **ei bod hi wedi curo'r hen Shadrach Jones.**
. . . she was delighted *that she had beaten old Shadrach Jones.*
Roedd e'n falch **ei fod e wedi cofio'r ffilm yna.**
He was glad *that he had remembered that film.*
. . . **ei fod e wedi clywed yn iawn.**
. . . *that he had heard aright.*
Ddwedodd hi ddim **fod ei chynlluniau ei hun ganddi hi.**
She didn't say *that she had her own plans.*
Fyddech chi byth yn meddwl **fod llais tenor hyfryd ganddo fe.**
You would never think *that he had a pleasant tenor voice.*
Roedden nhw'n gwybod **fod digon o arian ganddi hi.**
They knew *that she had plenty of money.*
Mae rhaid dweud nawr **fod gan Eirwen reswm arall dros ofyn i Tomi . . .**
It must be said now *that Eirwen had another reason for asking Tommy . . .*

9. 'ACHOS' 'ER' 'NES', 'EFALLAI' + 'BOD' PATTERN

The 'BOD' pattern is used after the conjunctions 'achos', 'er' and 'nes' as well as after 'efallai' in place of the present or imperfect tenses of 'bod'. The same forms are used with 'wedi' to form the perfect and pluperfect tenses.

'Oherwydd' and 'am' have the same meaning as 'achos' ('because') and are frequently used.

. . . a fe arni hi **achos ei bod hi'n gallu gwneud arian . . .**
. . . and he on her *because she could (was able to) make money . . .*
Ac roedd rhaid i fi roi'r cynnig cynta i chi **achos eich bod chi'n un o'r teulu.**
And I had to give you the first choice *because you are one of the family.*
Chi gafodd eich cadw'n ôl **achos eich bod chi . . . backward . . .**
You were kept back *because you were . . . backward . . .*
. . . mor fuan ag oedd yn bosibl **achos bod materion pwysig ganddo fe i'w trafod gyda Dafydd.**
. . . as soon as (it was) possible *because he had important matters to discuss with Dafydd.*
. . . y sur, mae'n debyg, **achos ei fod e'n cofio'n rhy dda y pryd o dafod gafodd e . . .**

. . . the sour (look), it is likely, *because he remembered (was remembering) too well the meal of tongue pie he got . . .*

. . . **achos bod Dafydd wedi eistedd unwaith eto.**

. . . *because Dafydd had sat down once again.*

Ond **achos bod Nan yn rhy agos . . .**

But *because Nan was too near . . .*

. . . ac **achos bod cwsmer yn y siop . . .**

. . . and *because there was a customer in the shop . . .*

. . . **achos ei fod e wedi methu â rhwystro cynlluniau Dafydd Williams.**

. . . *because he had failed to prevent Dafydd Williams' plans.*

. . . a hynny **achos bod aelod ffyddlon o gapel Nebo wedi cael ei ddal . . .**

. . . and that *because a faithful member of Nebo chapel had been caught . . .*

Er bod Marged Bowen yn falch o bob cyfle i ddweud rhywbeth cas . . .

Though Marged Bowen was glad of every opportunity to say something horrid . . .

. . . meddai Dafydd **er ei fod e wedi clywed yn iawn y tro cynta . . .**

. . . said Dafydd *though he had heard correctly the first time . . .*

. . . **er ei fod e'n cofio'n dda** fel roedd y bancwr wedi chwerthin am ei ben e unwaith.

. . . *though he well remembered (was remembering)* how the banker had laughed at him once.

. . . **er ei bod hi'n ddrwg gan lawer ei gweld hi'n cau.**

. . . *though many were sorry to see it closing.*

. . . **er bod y symiau arian yn newid o berson i berson.**

. . . *though the sums of money varied from person to person.*

. . . **er bod gobeithion da ganddi hi.**

. . . *though she had high (good) hopes.*

. . . **er bod nifer o wŷr y Siamber Fasnach wedi bod yn gweithio'n galed.**

. . . *though some of the men of the Chamber of Trade had been working hard.*

. . . **er bod Mr. Roberts yn edrych drwy bob un ddwywaith nawr . . .**

. . . *though Mr. Roberts looked (was looking) through every one twice now . . .*

. . . **er bod pawb yn yr ardal yn meddwl y byd ohono fe.**

. . . *though everybody in the district thought the world of him.*

. . . **er eu bod nhw nawr yn ddigon o ffrindiau.**

. . . *though they were now friends enough.*

. . . **er bod Dafydd wedi penderfynu anghofio'r llythyrau.**

. . . *though Dafydd had determined to forget the letters.*

. . . **er bod y teulu'n dal i fyw y tu ôl i'r siop.**

. . . *though the family was continuing to live behind the shop.*

. . . dim ond aros **nes bod Dafydd yn barod i ddweud stori'r bore wrthi hi.**

. . . only wait *until Dafydd was ready to tell her the story of the morning.*

Cerddodd yn ôl **nes ei fod e bron ar yr heol.**

He walked backwards *until he was almost on the road.*

. . . a rhwbio'r dwylo calico yn ei gilydd **nes bod nerfau'r dyn y tu ôl i'r cownter yn rhacs.**

. . . and rubbing his calico hands together *until the nerves of the man behind the counter were in tatters.*

. . . rydw i'n mynd i roi pryd o dafod i Roland Prys yn ei fanc **nes ei fod e'n neidio.**

. . . I am going to give Roland Prys a meal of tongue pie in his bank *until he's jumping.*

Plygodd Dafydd ymlaen . . . **nes bod trwynau'r ddau'n cyffwrdd bron.**

Dafydd leaned forward . . . *until both their noses were almost touching.*

. . . codi, codi **nes eu bod nhw'n filoedd o bunnoedd.**

. . . rising, rising *until they were thousands of pounds.*

. . . a'i boeni fe **nes ei fod e'n griddfan yn ei ing.**

. . . and worry him *until he was groaning in his agony.*

Mae e'n aros a'i fforc deirbig yn ei law **nes ei fod e'n gweld rhywun . . .**

He waits with his three-pronged fork in his hand *until he sees someone . . .*

Mae e'n chwarae'r gân drosodd a throsodd **nes fy mod i'n ei gwybod hi.**

He plays the song over and over *until I know (am knowing) it.*

. . . fe gododd sŵn y dyrfa yn un don fawr **nes bod y llechi ar adeiladau'r stryd yn hollti bron.**

. . . the noise of the crowd rose in a great wave *until the slates on the street buildings almost split.*

Efallai **fod y perchennog wedi gwerthu'r lle'n barod.**

Perhaps *the owner has sold the place already.*

Efallai **dy fod ti'n meddwl unwaith eto am siop Gronw . . .**

Perhaps *you are thinking once more about Gronw's shop . . .*

. . . ac **efallai fod eisiau tipyn o waith arno fe erbyn hyn.**

. . . and *perhaps it needs a bit of work by now.*

Efallai **ei bod hi'n ei ddisgwyl e nawr.**

Perhaps *she is expecting him now.*

Efallai **fy mod i'n sgwâr.**

Perhaps *I am square.*

Efallai **fod Olwen wedi mynd allan neu rywbeth.**

Perhaps *Olwen had gone out or something.*
. . . efallai **fod gan ei thad rywun mewn golwg.**
. . . perhaps *her father had someone in mind* (*view, sight*)

10. NEGATIVE NOUN CLAUSES WITH 'BOD'

. . . He says that he is not going . . .
. . . Mae e'n dweud ei fod e ddim yn mynd . . .
. . . He said that he was not going . . .
. . . Fe ddwedodd e ei fod e ddim yn mynd . . .
. . . He said that there was no one there . . .
. . . Fe ddwedodd e fod neb yno . . .

The negative of noun clauses with 'bod' is formed by placing 'dim' (or mutated form 'ddim') ('neb' for a person) after the 'bod' formation, as shown in the above examples. It should be noted, however that there is another way of forming negative noun clauses as shown later in these notes.

Mae rhaid dweud fan yma nawr **fod dim car na fan gan Dafydd.**
It must be said here now *that Dafydd had no car or van.*
Fe ddwedodd hi hefyd **fod neb yn mynd i agor 'palas i'r diafol' yn Nhalfynydd.**
She also said *that no one was going to open 'a place for the devil' in Talfynydd.*
Roedd yn ddrwg iawn gan lawer o aelodau'r Siamber **eu bod nhw ddim wedi cymryd mwy o ddiddordeb** . . .
Many of the members of the Chamber were very sorry *that they had not taken more interest* . . .
Ond rydych chi'n dweud **eu bod nhw ddim yn ddrud** . . .
But you say *that they are not dear* . . .
. . . a dweud wrtho fe **fy mod i ddim yn gwybod** . . .
. . . and tell him *that I didn't know* (*was not knowing*).
. . . **ei fod e ddim yn brwydro yn erbyn y byd i gyd ar ei ben ei hun.**
. . . *that he was not fighting against all the world on his own.*
Yr ail beth gofiodd e oedd **ei fod e ddim wedi rhoi ei enw wrth unrhyw bapur** . . .
The second thing he remembered was *that he had not put his name to any paper* . . .
Ac roedd Dafydd yn synnu braidd **ei fod e ddim wedi gweld unrhyw ddogfen** . . .
And Dafydd was rather surprised *that he had not seen any document* . . .
Roedd hi'n dwp ei hunan **ei bod hi ddim wedi meddwl am Mr. Roberts.**
She was stupid too (herself) *that she had not thought of Mr. Roberts.*

. . . i weld . . . **fod neb wedi rhoi'r lle ar dân.**
. . . to see . . . *that no one had set the place on fire.*
. . . a **bod e ddim yn gallu dod.**
. . . and *that he could not (was not able to) come.*

The same negative construction can be used after 'achos', 'er', 'nes' and 'efallai', —

. . . a hi arno fe **achos ei fod e ddim yn gallu gwneud arian.**
. . . and she on him *because he could not (was not able to) make money.*

11. NEGATIVE NOUN CLAUSES — LITERARY PATTERN

. . . He says that he is not going . . .
. . . Mae e'n dweud nad ydy e ddim yn mynd . . .
. . . He said that he was not going . . .
. . . Fe ddwedodd e nad oedd e ddim yn mynd . . .
. . . He said that there was no one there . . .
. . . Fe ddwedodd e nad oedd neb yno . . .

All negative noun clauses containing the present or imperfect tenses of the verb 'bod' can be formed by using 'dim' (or its mutated form 'ddim') or 'neb' with the 'bod' pattern (as above, paragraph 10). However there is another pattern for noun clauses which the reader should know. This is the literary pattern, examples of which are seen above. The same pattern can be used after the conjunctions 'achos', 'er', 'nes' and after 'efallai'. The negative noun clause in the literary pattern is introduced by 'na' ('nad' before a vowel), and the number and person of the subject is not changed. It should be noted that the form of the third person singular present tense of 'bod' in a negative sentence is 'ydy', and the third person plural is 'ydyn'.

. . . roedd e wedi sylweddoli **nad oedd dim gobaith iddo fe gael dim . . .**
. . . he had realised *there was no hope for him to have anything . . .*
. . . i fod yn siŵr **nad oedd neb yn gwrando . . .**
. . to make sure *that there was no one listening . . .*
. . . ar ôl troi ei wydr a'i ben i lawr i fod yn siŵr **nad oedd dim un diferyn ar ôl.**
. . . after turning his glass upside down (with its head down) to make sure *that there wasn't a single drop left.*

Fe welodd Shadrach **nad oedd dim gobaith ganddo fe nawr.**
Shadrach saw *that he had no hope now.*
Fe geisiodd e ddangos **nad oedd dim eisiau'r fath siop yn y dref.**
He tried to show *that there was no need for such a shop in the town.*
Mae rhaid **nad oedden nhw'n gwybod dim am y cwmni yma.**
It must (have been) *that they knew nothing of this company.*
Gobeithio **nad oedd dim byd gwaeth i ddod.**

He hoped *that there was nothing worse to come.*
Efallai **nad oedd hi'n ddigon sionc i hynny.**
Perhaps *she wasn't nimble enough for that.*
. . . **er nad oedd dim yn amlwg iawn i Dafydd.**
. . . *though nothing was very obvious to Dafydd.*
. . . **er nad oedd Dafydd yn gwybod hynny ar y pryd** . . .
. . . *though Dafydd didn't know that at the time.*
. . . **er nad oedd gan Dafydd ddim syniad o gwbl.**
. . . *though Dafydd had no idea at all.*
. . . **er nad oedd E ddim eto wedi dweud wrtho fe sut i dalu'r deuddeg cant.**
. . . *though He hadn't yet told him how to pay the twelve hundred pounds.*
. . . **er nad oedd dim gobaith** fod Bryan yn ei chlywed hi . . .
. . . *though there was no hope* that Bryan could hear (was hearing) her.

12. NOUN CLAUSES CONTAINING THE FUTURE OR THE IMPERFECT CONDITIONAL TENSES OF 'BOD'

. . . He says that he will be coming . . .
. . . Mae e'n dweud (y) bydd e'n dod . . .
. . . He said that he would be coming . . .
. . . Fe ddwedodd e (y) byddai fe'n dod . . .

The future tense and imperfect conditional tense forms undergo no change when used in noun clauses. In literary Welsh, the noun clause is linked to the main clause by means of 'y', shown thus (y) in the above examples. This relative pronoun 'y' is rarely used in spoken Welsh, and for that reason it is omitted in the text.

Wyt ti'n meddwl **(y) bydd hi o unrhyw werth i ti fynd?**
Do you think *it will be of any use (worth) for you to go?*
. . . rydw i'n siŵr **bydd e'n barod i fy ngweld i.**
I am sure *he will be ready to see me.*
Rwyt ti'n siŵr **bydd y siop yma'n llwyddiant** . . .
You are sure *that this shop will be a success* . . .
Rydw i'n gwybod **bydd eisiau pensaer.**
I know *an architect will be needed.*
Gobeithio **byddwch chi'r un mor brysur yfory.**
I hope *you will be just as busy tomorrow.*
. . . dim ond dweud **byddai'r cwmni'n falch o dderbyn eu harian yn fuan.**
. . . only to say *that the company would be glad to receive their money soon.*
Rydw i'n credu **byddai'n beth da i droi'r hen Walia yn siop-farchnad**
I think *it would be a good thing to turn the old Gwalia into a super-market.*

. . . a sylweddoli **byddai problemau mawr yn eu hwynebu.**

. . . and realise *that there would be huge problems facing them.*

. . . rydw i'n credu **byddai'n well i ti fynd i weld Mr. Roberts.**

. . . I believe *it would be better for you to go and see Mr. Roberts.*

Fe ddwedodd llawer un ohonyn nhw **byddai fe'n mynd â'i gownt o'r Bombard.**

Many (a one) of them said *that he would be taking his account from the Bombard.*

Roeddwn i'n meddwl **byddech chi.**

I thought *you would.*

Roedd yr adeiladwyr wedi dweud **byddai'r siop fawr newydd yn barod . . .**

The contractors had said *that the big new shop would be ready . . .*

Wyt ti'n dweud **byddai rhaid i fi dalu'r boi yma?**

Are you saying *that I would have to pay this boy?*

. . . gan obeithio . . . **byddai'r ci'n codi ei goes . . .**

. . . hoping . . . *that the dog would raise his leg . . .*

13. THE FUTURE AND IMPERFECT CONDITIONAL TENSES OF 'BOD' AFTER 'ACHOS', 'ER', 'NES' AND 'EFALLAI'

These follow the same pattern as noun clauses as in 12 above. There are but few examples of this pattern in the text.

Paid â dweud dim rhagor, Nan, **nes bydda i'n gweld Prys, rheolwr y banc.**

Don't say any more, Nan, *until I* (*shall*) *see Prys, the bank manager.*

. . . **nes bydd costau'r prynu . . . wedi cael eu clirio.**

. . . *until the buying costs . . . will have been cleared.*

. . . ond **nes byddai hynny'n digwydd** roedd rhaid iddo fe fyw gyda'i gydwybod.

. . . but *until that happened* (*would happen*) he had to live with his conscience.

Efallai **bydd pobl eraill ar ôl y Gwalia.**

Perhaps *other people will be after The Gwalia.*

Efallai **byddan nhw'n fodlon anfon rhagor o blismyn.**

Perhaps *they will be willing to send more policemen.*

Efallai **byddai diddordeb gen i yn y siop yma . . .**

Perhaps *I would have an interest in this shop . . .*

Efallai **byddai pâr o esgidiau'n rhad ac am ddim yn llwyddiannus gyda fe.**

Perhaps *a pair of shoes free and for nothing would be successful with him.*

Roedd arna i ofn efallai **byddai'r Siamber Fasnach wedi ceisio dylanwadu ar rai o'r cynghorwyr.**

I was afraid that perhaps *the Chamber of Trade would have tried to influence some of the councillors.*

Efallai **byddai Tomi'n canu'r fersiwn Saesneg . . .**
Perhaps *Tommy would sing the English version . . .*

14. NEGATIVE CLAUSES CONTAINING THE FUTURE OR IMPERFECT CONDITIONAL TENSES OF 'BOD'

Clauses of this kind which appear in the text follow the literary Welsh pattern, that is, with the link-word 'na' joining the subordinate clause to the main clause. In spoken Welsh 'dim' (or 'ddim') is retained in these clauses too.

. . . rydw i'n siŵr **na fydd e ddim yn codi unrhyw rwystr.**
. . . I am sure *that he will not raise any obstacle.*
Rydw i'n ofni **na fydda i ddim yn dweud y gwir.**
I'm afraid *that I shall not be speaking the truth.*
. . . byw mewn gobaith **na fydd y bobl ifanc ddim yn tynnu'r lle yn rhacs.**
. . . living in hope *that the young people will not pull the place to pieces.*
. . . a gweddi Dafydd nawr oedd **na fydden nhw ddim yn ei boeni fe . . .**
. . . and Dafydd's prayer now was *that they would not trouble him . . .*
Roedd e'n siŵr **na fyddai hi byth yn meddwl chwilio drwy ei bapurau preifat e . . .**
He was sure *that she would never think of searching through his private papers.*
Roedd e'n ofalus o un peth . . . **na fyddai'r ci ddim yn codi ei goes . . .**
He was careful of one thing . . . *that the dog would not raise his leg . . .*
Roedd e'n gwybod yn iawn **na fyddai dim calon ganddi hi i wrando ar unrhyw wersi sych . . .**
He knew very well *that she would have no heart to listen to any dry lessons . . .*
Efallai **na fyddai'r Cyngor ddim yn barod i roi caniatâd iddo fe.**
Perhaps *the Council would not be ready to give him permission.*
Efallai **na fydden nhw ddim yn troi eu trwynau ar beint bach.**
Perhaps *they would not turn up their noses on a (little) pint.*

15. NEGATIVE NOUN CLAUSES CONTAINING CONCISE FORMS OF VERBS

. . . He said he didn't sleep at all . . .
. . . Fe ddwedodd e na chysgodd e o gwbl . . .

The pattern is the same as in previous negative clauses, paragrahs 13 and 14.

Mae'n ddrwg gen i **na thaflais i ddim mwy o ddŵr oer . . .**
I'm sorry *I didn't throw more cold water . . .*
Ond roedd yn ddigon hawdd iddi hi weld **na fuodd e ddim yn lwcus iawn.**
But it was easy enough for her to see *that he hadn't been very lucky.*
Fe welodd e **na allai Dafydd gael dim trefn ar y dyrfa.**
He saw *that Dafydd could not get any control over the crowd.*
. . . **er na ddwedodd e ddim un gair am ei amheuon.**
. . . *though he did not say a word about his doubts.*

16. SUBORDINATE CLAUSES WITH 'MAI'

When a part of a sentence in Welsh needs to be emphasized, it is brought to the beginning of the sentence.

Note the following two sentences, —

a. Roedd y gath yn edrych i'r tân.
b. Edrych i'r tân roedd y gath.

Sentence a. is a simple statement. Sentence b. emphasises the fact that the cat was looking into the fire and not, say, drinking the milk or doing anything else.

Sentence a. as a noun clause would be, —

Fe welais i **fod y gath yn edrych i'r tân.**

Sentence b. would be, —

Fe welais i **mai edrych i'r tân roedd y gath.**

Here the clause is joined unaltered to the main clause by means of 'mai'.

Roedd e'n meddwl **mai jôc oedd y cwbl.**
He thought *that it was all a joke* (*a joke it was all*).
Roedd arno fe eisiau dweud yn smala **mai fan fara Thomas a'i Fab oedd wedi dod â fe . . .**
He wanted to say jokingly *that it was Thomas and Son's bread van that had brought him . . .*
Roedd Dafydd yn gwybod yn iawn **mai wedi dod i fenthyca arian roedd e.**
Dafydd knew very well *that it was to borrow money he had come.*
Rydw i wedi dweud **mai chi sy'n cael y cynnig cynta.**
I have said *that you have the first offer* (*that it is you who has the first offer*).
Roedd Nan yn siŵr **mai symud i siop yr hen grydd oedd y ffordd orau.**
Nan was sure *that to move to the old cobbler's shop was the best way.*
. . . fe fyddai pawb yn meddwl **mai rhywun o'r ysbyty meddwl oedd e . . .**

. . . every one would be thinking *that he was someone from a mental hospital* (*that someone from a mental hospital he was*).
Ddwedodd y bancwr ddim **mai Mr. Roberts oedd wedi bod yn cael sgwrs â fe.**
The banker didn't say *that it was Mr. Roberts who had been having a chat with him.*
Doedd e ddim yn gwybod eto **mai hi oedd y tu cefn i'r holl fusnes.**
He didn't know yet *that it was she who was behind the whole business.*
Roedd rhai'n dweud **mai cael ei dynnu i lawr byddai'r hen le . . .**
Some were saying *that the old place would be pulled down* (*that pulled down the old place would be*).
. . . eraill yn dweud **mai rhyw hen ddyn o Gaerarfor oedd wedi prynu'r lle.**
. . . others said *that an old man from Caerarfor had bought the place* (*that it was an old man from Caerarfor who had bought the place*).
Ond yn fuan, fe ddaeth pawb i wybod **mai siop fawr, fodern fyddai'n cymryd lle yr hen sinema.**
But soon, every one came to know *that a large, modern shop would be taking the place of the old cinema.*
. . . ond roedd Prys yn gwybod **mai geiriau gwag oedd y rhain i gyd.**
. . . but Prys knew *that these were all empty words* (*that empty words were these all*).
. . . ac roedd pawb arall yn gwybod **mai fe oedd yr unig gyfreithiwr gonest o fewn milltiroedd i Dalfynydd.**
. . . and every one else knew *that he was the only honest lawyer within miles of Talfynydd.*
Mae'n hawdd deall **mai dyn nerfus iawn oedd yn cwrdd â'r postmon bob bore.**
It is easy to understand *that* (*it was*) *a nervous man* (*who*) *was meeting the postman every morning.*
Roedd Phillips yn barod i ddweud **mai biliau oedden nhw . . .**
Phillips was ready to say *that they were bills* (*that bills they were*).
Roedd Dafydd yn mynnu **mai Mr. Reginald Roberts ddylai gael yr anrhydedd honno.**
Dafydd insisted *that* (*it was*) *Mr. Reginald Roberts* (*who*) *should have that honour.*
. . . gan ddweud **mai gwas y diafol oedd e.**
. . . saying that *he was the devil's servant* (*the devil's servant was he*).
Rydw i'n credu **mai cynllun Nan ydy'r gorau.**
I think (believe) *that Nan's scheme is the best.*
Efallai **mai Nero oedd e . . .**
Perhaps *he was Nero* (*Nero was he*).

. . . neu efallai **mai breuddwydio rydw i . . .**

. . . or perhaps *I'm dreaming* (*dreaming I am*).

Chi sy'n cael y dewis **achos mai un o'r dref ydych chi.**

You are having the choice (the choice is yours) *because you are one from the town* (*one from the town you are*).

. . . er bod gobeithion ganddi hi, Mrs. Williams, **achos mai hi oedd unig berthynas yr hen wraig.**

. . . though she, Mrs. Williams, had hopes *because she was the old woman's only relative.*

Efallai **mai dyna fyddai fe'n ei gael ganddi hi.**

Perhaps *that is what he would have from her.*

. . . **er mai bach o gorff oedd e,** roedd e'n gwybod sut i fwyta.

. . . *though he was small of body* (*small of body was he*), he knew how to eat.

Mae Marged Bowen wedi dweud hynny, **er mai dim ond un person sy'n gwybod hynny ar hyn o bryd.**

Marged Bowen has said so (that), *though only one person knows that at* (*the*) *present* (*time*).

. . . mae gobaith bydd un genhedlaeth newydd beth bynnag, **er mai Powys fydd yr enw, mae'n debyg.**

. . . there's a hope that there will be one new generation, however, *though the name will be Powys probably* (*Powys will be the name probably*).

17. SUBORDINATE CLAUSES WITH 'NAD'

When the subordinate clause of emphasis is negative, the link word is 'nad', before consonants as well as before vowels.

. . . atebodd Dafydd gan wybod **nad dyna oedd ei bwrpas na'i neges.**

. . . Dafydd answered knowing *that that was not his purpose or errand.*

. . . **er nad dyna eiriau Mr. Prys o bell ffordd.**

. . . *though those were not Mr. Prys' words by a long way.*

18. PATTERNS WITH THE PREPOSITIONS 'CYN', 'WEDI', 'AR ÔL' AND 'ERBYN'

Note the following sentences, —

He has his breakfast *before he goes to school.*

Mae e'n cael ei frecwast **cyn iddo fe fynd i'r ysgol.**

He had his breakfast *before he went to school.*

Fe gafodd e ei frecwast **cyn iddo fe fynd i'r ysgol.**

He was hungry again *before he had reached the school.*

Roedd eisiau bwyd arno fe eto **cyn iddo fe gyrraedd yr ysgol.**

In the first (English) sentence the verb after 'before' is in the present tense; in the second sentence it is in the past tense and in the third it is in the pluperfect tense. The same pattern is used after ' cyn ' in all the Welsh translations whatever the tense, the pattern being, —

cyn + preposition ' i ' in its personal form + subject + verb noun
cyn + iddo + fe + fynd

This is the pattern which follows the prepositions ' cyn ', ' wedi ', ' ar ôl ' and ' erbyn ' for all tenses of the verb as used in this novel with the exception of the future and imperfect conditional tenses of the verb ' bod '. (It should be noted that the future tense is not used in English after ' before ' — ' before he goes ' and not ' before he will go ').

Ond fe fydda i yn y banc bore yfory **cyn i neb arall gael cyfle i feddwl am brynu'r lle.**

But I shall be at the bank tomorrow morning *before any one has the chance to think of buying the place.*

. . . meddai Nan **cyn i Dafydd sylweddoli'n iawn** beth oedd yn ei meddwl hi.

. . . said Nan *before Dafydd had properly realised* what was in her mind.

. . . a **chyn i Olwen gael cyfle i ofyn dim rhagor** . . . roedd e wedi mynd allan o'r siop.

. . . and *before Olwen had an opportunity to ask anything more* . . . he had gone out of the shop.

. . . **cyn iddo fe gyrraedd y drws.**

. . . *before he reached the door.*

Meddyliwch eto, Shadrach Jones, **cyn i'r diafol gau ei ddyrnau amdanoch chi.**

Think again, Shadrach Jones, *before the devil closes his fists about you.*

Mae'n well i fi roi cip ar yr hen Walia **cyn i fi fynd i weld Reginald Roberts.**

I'd better take a look at the old Gwalia *before I go to see Reginald Roberts.*

. . . ond **cyn i chi wario'r un geiniog,** fe fydd rhaid i Mr. Roberts a fi weld eich holl gynlluniau.

. . . but *before you spend a single penny,* Mr. Roberts and I must see all your plans.

. . . **cyn iddo fe gychwyn ar ei ffordd yn ôl i Dalfynydd.**

. . . *before he set out on his way back to Talfynydd.*

Roeddwn i wedi penderfynu gofyn i Tomi Ffowc . . . **cyn i chi sôn am Mr. Roberts.**

I had decided to ask Tommy Foulke . . . *before you mentioned Mr. Roberts.*

Ac meddai hi . . . **wedi iddi hi ddod dros y sioc gynta . . .**

And she said . . . *after she had got over the first shock . . .*

Ddwedodd Nan ddim un gair **wedi iddo fe ddod adref ar ôl bod yn gweld Reginald Roberts.**

Nan said not a word *after he came home after being to see Reginald Roberts.*

. . . efallai byddai diddordeb gen i yn y siop **ar ôl i chi ei phrynu hi.**

. . . perhaps I would have an interest in the shop *after you have bought it.*

. . . **wedi iddi hi sylweddoli'n iawn** beth roedd e wedi ei ddweud.

. . . *after she had properly realised* what he had said.

. . . ond **wedi i'r cwsmer fynd** . . . dyma Dafydd yn rhoi'r newyddion da.

. . . but *after the customer had gone* . . . Dafydd gave the good news.

. . . i wneud y gwaith . . . **wedi iddo fe gael ei gynllunio.**

. . . to do the work . . . *after it has been planned.*

Ac **wedi iddo fe fynd o'r stafell,** fe wenodd Reginald Roberts yn dawel wrtho'i hun.

And *after he had gone from the room,* Reginald Roberts smiled quietly to himself.

Wedi iddyn nhw gael eu siomi y tu allan i'r siop . . . fe fyddai arnyn nhw ofn . . .

After being disappointed outside the shop . . . they would be afraid . . .

. . . ac **wedi iddo fe basio,** fe fydden nhw'n troi ac yn pwyntio ato fe . . .

. . . and *after he had passed,* they would turn and point at him . . .

Dydw i ddim yn meddwl bydd e'n codi unrhyw rwystr **ar ôl iddo fe weld y lluniau a'r model yma.**

I don't think he will raise any obstacles *after he has seen these plans and this model.*

Erbyn iddo fe orffen y dasg honno, roedd hi'n ddau o'r gloch.

By the time he had finished that task, it was two o'clock.

Erbyn iddi hi gyrraedd y stryd, roedd Eirwen yn wên fawr o glust i glust.

By the time she had reached the street, Eirwen was one big smile from ear to ear.

NOTE: It has already been noted that ' er ', ' achos ', ' nes ' and ' efallai ' are followed by the ' bod ' pattern. However, when the time intended to be expressed is the simple past, these conjunctions are followed by the same pattern as that which follows ' cyn ' and ' wedi ', —

. . . doedd Dafydd ei hun ddim wedi sylweddoli cymaint oedd y swm **nes iddo fe dynnu allan y rhestr.**

. . . Dafydd himself hadn't realised how big the sum was *until he drew out the list.*

Sylweddolodd neb pwy oedd yno . . . **nes iddyn nhw weld y pen mawr a'r llwyn o wallt yn diflannu i mewn drwy'r drws . . .**

Nobody realised who was there . . . *until they saw the big head and the bush of hair disappearing (in) through the door.*

19. PATTERNS WITH 'OS', 'PAN', 'TRA' AND 'PAM'

It is hardly necessary to give many examples of sentences containing these conjunctions since the verbs which follow them do not undergo any changes, e.g., conversion to the 'bod' pattern. It should be emphasized here that it is incorrect to use the 'bod' pattern after 'pam' as many authors do.

Welodd Dafydd mo wyneb Marged Bowen, wrth gwrs, pan **ddwedodd e wrthi hi i stwffio'i harian.**

Dafydd didn't see Marged Bowen's face, of course, *when he told her to stuff her money.*

Mor falch oedd e **pan ddaeth Mr. Roberts o'r diwedd.**

How glad he was *when Mr. Roberts came at last.*

. . . roedd rhaid i'r hen siopwyr dynnu eu prisiau i lawr **os oedden nhw am gystadlu â'r siopau-helpwch-eich-hunain.**

. . . the old shopkeepers had to pull down their prices *if they wished to compete with the self-service shops.*

. . . ac **os oedd e'n mynd i newid ei siwt,** mynd i wisgo'i siwt orau roedd e.

. . . and *if he was going to change his suit,* he was going to put on his best suit.

. . . ac **os nad oedd pobl yn siŵr o'u ffeithiau,** roedd hi'n ddigon hawdd gwneud stori . . .

. . . and *if people were not sure of their facts,* it was easy enough to make up a story . . .

Os na fydden nhw ddim, yna, dyna bopeth ar ben i Dafydd Williams.

If they wouldn't, then, everything was at an end for Dafydd Williams.

Os na fydd dim profiad gan y bobl fydd yn cynnig am waith, fe fydd rhaid i ni eu dysgu nhw, dyna i gyd.

If the people who will be trying for work *have no experience,* we shall have to teach them, that's all.

. . . **os na fyddai Dafydd yn talu'r biliau o fewn deng niwrnod,** fe fyddai'r cwmni yma'n dod ag achos yn ei erbyn e.

. . . *if Dafydd wouldn't pay the bills within ten days,* this company would be bringing a case against him.

Tyrd at y soffa yma, **os wyt ti ddim yn mynd i nôl y brandi yna.**

Come to this sofa, *if you are not going to fetch that brandy.*

. . . sut rwyt ti'n dysgu dy ganeuon **os wyt ti ddim yn gallu darllen miwsig?**

. . . how do you learn your songs *if you can't read music?*
Pam **na fyddech chi wedi gofyn i Bryan Powys?**
Why didn't you ask (wouldn't you have asked) Bryan Powys?

20 INDIRECT QUESTIONS AND SENTENCES WITH 'TYBED'

Indirect questions in English are introduced by 'if' or 'whether', but in Welsh the link word is 'a' which is lost in spoken Welsh. 'Tybed' is sometimes used as the link word. It is often used in simple sentences too to give the meaning of 'I wonder', but it is rarely necessary to translate it into English.

. . . a gofyn iddi hi **fyddai hi'n hoffi dod i weithio gyda fe yn y siop.**
. . . and asked her *if she would like to come to work with him in the shop.*
. . . roedd e wedi amau'n fawr **fyddai'r cwmnïau'n anfon eu nwyddau.**
. . . he had doubted very much *whether the companies would send their goods.*
Roedd Dafydd wedi gofyn **oedd eisiau iddo fe roi ei enw wrth unrhyw bapurau ac ati . . .**
Dafydd had asked *whether he needed to put his name to any papers and so on.*
. . . yn cael cip nawr ac yn y man i weld **oedd y dyrfa'n mynd yn fwy.**
. . . having a glance now and then to see *if the crowd was getting bigger.*
Fe gafodd Nan ei hun yn dechrau meddwl **tybed oedd y syniad o droi'r hen sinema yn siop fawr mor dwp wedi'r cwbl.**
Nan found herself beginning to think *was the idea of turning the old cinema into a large shop so stupid after all.*
Tybed oedd Marged Bowen yn chwarae tric â fe . . .
Was Marged Bowen playing a trick on him . . .
Tybed oedd hi wedi brysio i brynu'r Gwalia er mwyn ei gwerthu hi wedyn am fwy o arian iddo fe?
Had she hurried to buy the Gwalia in order to sell it afterwards for more money to him?
. . . gan feddwl **tybed oedd y dyn yma'n swnio'n fwy caredig** nag oedd e'r tro diwetha.
. . . thinking *was this man sounding more kind* than he was the last time.
Tybed fyddai'r cwmnïau yma'n troi'n 'gas yn sydyn . . .
Would these companies turn nasty suddenly . . .
. . . ond **tybed fydden nhw'n barod i dalu ei hen ddyledion hefyd.**
. . . but *would they be willing to pay his old debts too.*

Fe hoffai fe weld y biliau yma. **Tybed fyddai hynny'n bosibl.**
He would like to see these bills. *Would that be possible?*

21. THE 'SO THAT — CONSEQUENCE' = 'FEL (Y)' PATTERN

. . . *so weak that he could not stand* . . .
. . . **mor wan fel nad oedd e'n gallu sefyll** . . .
. . . cyn i'r diafol gau ei ddyrnau amdanoch chi **fel na allwch chi byth ddianc.**
. . . before the devil closes his fists about you *so that you can never escape.*
A chymaint fuodd y siarad a'r chwerthin yno **fel collodd hi'r bws olaf adref i Bont-y-Pandy.**
And so great was the talk and laughter there *that she lost the last bus home to Pont-y-Pandy.*
Fe fydd fy ngweld i'n dod i mewn i'r siop yn fy siwt orau a'r tei du am fy ngwddw yn rhoi'r fath sioc i'r hen Farged **fel bydd hi'n cael ffit a marw yn y fan a'r lle.**
Seeing me coming into the shop in my best suit with the black tie around my neck will give old Marged such a shock *that she will have a fit and die just there and then.*
Cymaint oedd ei ddychryn **fel (y) dododd e'r rhestr ar ben y biliau yn y drôr a'i gau e'n glep.**
So great was his fright *that he put the list in the drawer and closed it with a bang.*

22. USAGES OF 'PEIDIO (Â, AG)' = 'TO STOP, TO CEASE, TO REFRAIN FROM'

The use of 'paid â (ag)' and 'peidiwch â (ag)' as commands will be familiar to the reader, —

. . . **Paid (ti) â siarad cymaint** . . .
. . . **Peidiwch (chi) â siarad cymaint** . . .

'Peidio' has other uses as will be seen from the following sentences from the novel.

Ond allan o'i go **neu beidio,** roedd rhaid rhoi bwyd yn ei fola fe.
But (whether he was) out of his mind *or not,* it was necessary to put food in his belly.
Oedd, roedd yn werth mynd i'w gweld hi, meddyliodd Dafydd, ffrindiau mawr **neu beidio.**
Yes, it was worth going to see her, thought Dafydd, great friends *or not.*
Mynd i weld Mr. Reginald Roberts **neu beidio** — dyna oedd y cwestiwn ym meddwl Dafydd Williams.
To go and see Mr. Reginald Roberts *or not* (to go) — that was the question in Dafydd Williams' mind.

Ond cofio **neu beidio,** roedd y neges ganddo fe'n iawn nawr.
But remembering *or not,* he had the message right now.
. . . Ond ffŵl **neu beidio,** tybed oedd e'n gweld fflach o obaith fan yma nawr.
. . . But a fool *or not,* could he see (was he seeing) a flash of hope here now.
Ond nerfus **neu beidio,** roedd rhaid iddo fe ddal ati yn y gwaith mawr . . .
But nervous *or not,* he had to carry on in the great work . . .
. . . roedden nhw'n mynnu dod i'r wyneb yn fwy aml **na pheidio.**
. . . they insisted on coming to the surface more often *than not.*
. . . fe fydden nhw'n tynnu'r lle yn rhacs, os byddai'r Heddlu yno **neu beidio.**
. . . they would pull the place to bits, whether the Police were there *or not.*
A fyddai hi byth yn agor ei cheg i neb, **dim ond gofyn iddi hi beidio.**
And she would never open her mouth to anyone, *only ask her not to.*
Doedd e ddim am golli'r Gwalia **os gallai fe beidio.**
He wasn't going to lose The Gwalia *if he could help it* (*refrain from losing it*).
Fe alla i ddweud wrthoch chi'n dawel fach, **dim ond i chi beidio â dweud wrth neb arall.**
I can tell you on the quiet, *only for you not to tell anyone else.*
Mae rhaid i ni beidio â bod yn rhy siŵr, Mr. Williams.
We must not be too sure, Mr. Williams.
. . . y dydd pan oedd Pwyllgor Cynllunio'r Dref yn cwrdd i roi caniatâd, **neu i beidio â'i roi,** i gais Dafydd Williams i droi'r hen sinema, Y Gwalia, yn siop.
. . . the day when the Town Planning Committee was meeting to give permission, *or not to give it,* to Dafydd Williams' application to convert the old cinema, The Gwalia, into a shop.
Ond roedd hi'n ddigon call **i beidio â'i boeni fe ragor.**
But she was wise enough *not to worry him any more.*
Fe fyddai ei gydwybod e'n tawelu rywbryd, **dim ond i aelodau Nebo beidio â dod i wybod am y tro brwnt . . .**
His conscience would calm down sometime, *only for the members of Nebo not to come to know of the dirty trick . . .*
Syniad Nan oedd **peidio â chael Seremoni o gwbl.**
Nan's idea was *not to have a Ceremony at all.*
Ond pam mae e'n dweud wrthon ni **i beidio â phoeni . . .**
But why is he telling us *not to worry . . .*
. . . mae hi wedi penderfynu **peidio â mynd yn athrawes . . .**
. . . she has decided *not to become a teacher.*

23. THE PATTERN 'FOR ME TO GO' = 'I FI FYND' (or 'I MI FYND')

The preposition 'i' means 'to', but it also frequently means 'for', —

. . . *tea for two* = **te i ddau . . .**

Used with the verb noun, it forms a very useful pattern in Welsh.

Doedd Nan, gwraig Dafydd, ddim yn fodlon **iddo fe fentro** i fyd Dior a Quant fel hyn . . .

Nan, Dafydd's wife, wasn't willing *for him to venture* into the world of Dior and Quant like this . . .

. . . neu ddal pâr o bantis i fyny o flaen llygaid merch o gwsmer **iddi hi gael gweld** mor bert oedden nhw.

. . . or hold a pair of panties up before the eyes of a female customer *for her to see* how pretty they were.

Symud dy lyfr sanctaidd o'r bwrdd yma **i fi gael paratoi swper.**

Shift your holy book from this table *for me to prepare supper.*

. . . roedd arni hi eisiau tun samwn a thomatos i wneud brechdan **i'w Wil bach fynd** ar y trip.

. . . she wanted a tin of salmon and (some) tomatoes to make sandwiches *for her little Willie to go* on the trip.

. . . roedd e'n falch pan ddaeth yr amser **iddo fe godi.**

. . . he was glad when the time came *for him to get up.*

Doedd dim llawer o olau yno, dim ond digon **i ddwy ferch** oedd yn tynnu llwch yma ac acw **wneud eu gwaith.**

There wasn't much light there, only enough *for two girls* who were dusting here and there *to do their work.*

. . . y peth gorau **i chi ei wneud** nawr ydy mynd i weld Mr. Reginald Roberts.

. . . the best thing *for you to do* now is to go and see Mr. Reginald Roberts.

. . . a bod y ffordd yn glir nawr **i fi brynu**'r Gwalia.

. . . and that the way was clear now *for me to buy* The Gwalia.

. . . fe fyddwn i'n fodlon dim ond **i'r Bombard ganiatáu'r swm.**

. . . I would be willing only *for the Bombard to permit* the sum.

Does dim angen **i ni boeni** am bethau fel yna nawr.

There's no need *for us to bother* about things like that now.

Roedd hynny wedi rhoi nerth **iddo fe wynebu** . . . hyd yn oed Roland Prys . . .

That had given him strength *for him to face* . . . even Roland Prys . . .

Mae arna i eisiau **i ti ganu'r** gân yma.

I want (*for*) *you to sing* this song.

. . . gan ddal carden fach **i bawb ei gweld.**

. . . holding a little card *for everyone to see* (*it*).

. . . fe fydd Mr. Roberts yn disgwyl **i fi ofyn** iddo fe agor y siop.

. . . Mr. Roberts will be expecting (*for*) *me to ask* him to open the shop.

24. SOME MISCELLANEOUS WORDS AND PHRASES

bron = *almost, nearly, hardly.*

Note the meanings of the word ' bron ' and the constructions with it in these sentences, —

. . . a heb yn wybod iddi hi **bron,** roedd hi'n chwerthin dros y lle.
. . . and without her knowing *almost,* she was laughing all over the place.

Fe fuodd hi **bron â** cholli bysedd un llaw.
She *almost* lost the fingers of one hand.

Roedd e'n gallu gadael **popeth bron** yn nwylo'r dyn annwyl, annwyl yma.
He could leave *every thing almost* in the hands of this dear, dear man.

Doedd **neb bron** yn torri ei galon . . .
Hardly any one was breaking his heart . . .

. . . bob dydd **bron** . . .
. . . every day *almost* . . .

. . . a **bron bod** dagrau yn ei lygaid ei hunan . . .
. . . and *almost there were* tears in his own eyes . . .

Ac fe fuodd e **bron â** dweud ' Haleliwia ' unwaith eto.
And he *almost* said ' Halleluia ' once again.

. . . fe fuodd **bron iddo fe** ddweud yr holl stori wrth y dyn . . .
. . . *he almost* told the man the whole story . . .

heb — *without,* but sometimes used to express the negative ' not ', —

. . . y gwaith oedd **heb ei wneud** . . .
. . . the work *that wasn't done* (*hadn't been done*) . . .

Dwyt ti ddim yn disgwyl i fi ganu'r gân yma, **a finnau heb ei gweld hi** na'i chlywed hi o'r blaen.
You don't expect me to sing this song, *when I haven't seen it* or heard it before (*and I without seeing it* or hearing it before).

. . . **heb sôn** am ei phethau hi ac Eirwen.
. . . *not to mention* her things and Eirwen's.

Note the idiom, — **heb yn wybod iddi hi** — *without her knowing*

am — the preposition ' am ' is often used (and frequently in this novel) to express desire or determination, —

Doedd e ddim am golli'r Gwalia, os gallai fe beidio.
He wasn't going to lose The Gwalia (*determined not to lose it*), if he could help it.

. . . a **doedd e ddim am ysgwyd llaw â Shadrach** . . .
. . . and *he wasn't going to shake hands with Shadrach* . . .

fel pe bai — *as if . . . was* (*were*)

. . . a phawb yn edrych **fel pe bai eu dydd ola cyn eu crogi wedi dod.**
. . . and all looking *as if their last day before their hanging had come.*

. . . a golwg ar ei wyneb e **fel pe bai'r byd ar ben.**
. . . and a look on his face *as if the world was at an end.*

GEIRFA — VOCABULARY

BYRFODDAU — ABBREVIATIONS

a. adjective (ansoddair) *adv.* adverb (adferf) *c.* conjunction (cysylltiad) *f.* feminine (benywaidd) *i.* interjection (ebychiad) *m.* masculine (gwrywaidd) pl. plural (lluosog) pn. pronoun (rhagenw) pr. preposition (arddodiad) *s.* singular (unigol) *v.* verb (berf)

More familiar words have been omitted from the vocabulary.

A

acw, *adv.* there, yonder
yma ac acw, here and there
achos (-ion), *n.m.* cause, case (law)
achos, *c.* because, for
achosi, *v.* to cause
achub, *v.* to save, to rescue
adeilad (-au), *n.m.* building
adeiladu, *v.* to build
adeiladwr (-wyr), *n.m.* builder
adran (-nau), *n.f.* section department
adref, *adv.* homewards
adrodd, *v.* to recite
aelod (-au), *n.m.* member
aelwyd (-ydd), *n.f.* hearth; fireside
agor, *v.* to open
ar agor, open
agored, *a.* open
angen (anghenion), *n.m.* need, want
angenrheidiol, *a.* necessary
anghofio, *v.* to forget
ail, *a.* second
bob yn ail, alternately
angladd (-au), *n.f.m.* funeral
allwedd (-au), *n.f.* key
amau, *v.* to doubt, to suspect
amheuon, *n.pl.* doubts
ambell, *a.* occasional
aml, *a.* frequent
amlen (-ni), *n.f.* envelope
amlwg, *a.* plain, obvious, clear
anfoneddigaidd, *a.* ungentlemanly
anhapus, *a.* unhappy
anlwc, *n.m.* bad luck, misfortune
annwyl, *a.* dear, beloved
anodd, *a.* difficult
anrhydedd (-au), *n.f.* honour
antur, *n.m.* adventure
anweledig, *a.* invisible
anwylo, *v.* to fondle, to caress
apelio, *v.* to appeal
araf, *a.* slow.
arall, *a.* & *pn.* other, another; else
arbennig, *a.* special
arch (eirchion), *n.f.* coffin, ark
archeb (-ion), *n.f.* order, requisition
archebu, *v.* to order
ardal (-oedd), *n.f.* district, region
ardderchog, *a.* excellent
arfer (-ion), *n.m.* custom, use
fel arfer, as usual
yn ôl ei arfer, according to his custom
arian, *n.m.* money; silver; cash
arian parod, ready money, cash
ariannol, *a.* financial
arllwys, *v.* to pour, to pour out
aros, *v.* to wait, to stop, to stay, to remain
arwain, *v.* to lead, to conduct, to guide
arwerthiant, *n.m.* sale, auction
arwr (arwyr), *n.m.* hero
asgwrn (esgyrn), *n.m.* bone
astudio, *v.* to study
atal, *v.* to stop, to hinder, to prevent
atseinio, *v.* to echo
awel (-on), *n.f.* breeze
awyr, *n.f.* air, sky

B

bacwn, *n.m.* bacon
balch, *a.* proud; glad
  rydw i'n falch, I'm glad
  mae'n falch gen i, I'm glad
bargen (bargeinion), *n.f.* bargain
baw, *n.m.* dirt, filth, mire
bawd (bodiau), *n.f.* thumb
bedd (-au), *n.f.* grave
benthyca, *v.* to borrow
benthyciad, *n.m.* loan
benthyg, *n.m.* loan
  arian benthyg, borrowed money
blaen, *a.* front, foremost
blaen (-au), *n.m.* point, tip
  o'r blaen, previously
blanced (-i), *n.f.* blanket
blas, *n.m.* taste
blasus, *a.* tasty
blawd, *n.m.* flour
blew, *n.pl.* hairs (*s.* **blewyn**)
  tynnu'r bysedd o'r blew, to take one's finger out
blin, *a.* tired, weary
  mae'n flin gen i, I'm sorry
blino, *v.* to tire
  wedi blino, tired
blodeuo, *v.* to blossom
blodyn (blodau), *n.m.* flower
blwyddyn (blynyddoedd), *n.f.* year
boch (-au), *n.f.* cheek
bodlon, *a.* willing, content
bodd, *n.m.* pleasure, will
  wrth fy modd, (I am) delighted
boddi, *v.* to drown
bol, bola (boliau), *n.m.* belly
boneddigaidd, *a.* gentlemanly
bonheddig, *a.* gentlemanly
  gŵr bonheddig, gentleman
botwm (botymau), *n.m.* button
bownd, *a.* sure, bound
braidd, *adv.* rather, somewhat
brân (brain), *n.f.* crow
brathu, *v.* to bite; to sting
braw, *n.m.* terror, fear
brawddeg (-au), *n.f.* sentence
brechdan (-au), *n.f.* slice of bread and butter; sandwich
brest, *n.f.* breast, chest
breuddwyd (-ion), *n.m.* dream
bron, *adv.* almost, nearly
  pawb bron, almost everyone
brwnt, *a.* foul, nasty, dirty
brwydr (-au), *n.f.* battle
brys, *n.m.* hurry, haste
brysio, *v.* to hurry, to hasten
buan, *a.* fast, quick
  yn fuan, soon
busnes (-ion), *n.m.* business
bwled (-i), *n.f.* bullet
bwlyn, *n.m.* knob (of door)
bwndel (-i), *n.m.* bundle
bwriadol, *a.* intentional
bwriadu, *v.* to intend
bychan, *a.* small
byd (-oedd), *n.m.* world
  dim byd, nothing
bynnag, *pn.* **(pwy) bynnag,** whoever
  (beth) bynnag, whatever
byr, *a.* short
byth, *adv.* ever; for ever
bywiog, *a.* lively
bywyd (-au), *n.m.* life

C

cadarn, *a.* strong, firm, sturdy
cais (ceisiadau), *n.m.* application, request; attempt, try
caled, *a.* hard; severe
calon (-nau), *n.f.* heart
call, *a.* wise; sensible
cam (-au), *n.m.* step
caniatâd, *n.m.* permission, leave; consent
caniatáu, *v.* to permit, to allow
canlyniad (-au), *n.m.* consequence; result
cannwyll (canhwyllau), *n.f.* candle
canol, *n.m.* middle, centre
  ynghanol, in the midst of
cant (cannoedd), *n.m.* hundred
  deg y cant, ten per cent
cantorion, *n.pl.* singers
canwr (canwyr), *n.m.* singer
capel (i, -ydd, -au), *n.m.* chapel
carden (cardiau), *n.f.* card
caredig, *a.* kind, kindly
caredigrwydd, *n.m.* kindness
cariad, *n.m.* love; sweetheart
carlam, *n.m.* gallop
  ar garlam, at a gallop
cartref (-i), *n.m.* home
  gartref, at home
caru, *v.* to love; to make love to; to court
cas, *a.* hateful; odious, nasty
casglu, *v.* to collect
cau, *v.* to close, to shut
  ar gau, closed, shut

cawl, *n.m.* broth; soup; hotchpotch
yn y cawl, in the soup
cawod (-ydd), *n.f.* shower
cefn (-au), *n.m.* back
y tu cefn i, behind
ceg (-au), *n.f.* mouth
ceiniog (-au), *n.f.* penny
ceiniog goch, a single penny
ceisio, *v.* to try; to seek
cenhedlaeth (cenedlaethau), n.f. generation
ci (cŵn), *n.m.* dog
cic (-iau), *n.f.* kick
cig (-oedd), *n.m.* meat
cig moch, bacon, ham
cigydd (-ion), *n.m.* butcher
cil-dwrn, *n.m.* tip, gratuity
cilio, *v.* to retreat, to recede
cip (-ion), *n.m.* glance; snatch
cael cip (ar), to have a look (at)
cipio, *v.* to snatch
claddu, *v.* to bury
clawdd (cloddiau), *n.m.* hedge; embankment; dyke
clebran, *v.* to chatter; to gossip
clec (-iau), *n.f.* click; bang
clir, *a.* clear
clirio, *v.* to clear
cloch (clychau), *n.f.* bell
o'r gloch, o'clock
clogyn, *n.m.* cloak
cloi, *v.* to lock
closio (at), *v.* to close up (to)
clust (-iau), *n.f.* ear
clyd, *a.* snug, cosy
clyfar, *a.* clever
cnau, *n.pl.* nuts (*s.f.* **cneuen)**
cnoi, *v.* to chew; to bite; to gnaw
cocyn, *n.m.* bun (of hair)
cochi, *v.* to redden; to blush
co, cof (-ion), *n.m.* memory; mind
o'i go, out of his mind
colled (-ion), *n.f.* loss
corff (cyrff), *n.m.* body; corpse
cornel (-i), *n.f.m.* corner
coron (-au), *n.f.* crown
cosbi, *v.* to punish
cost (-au), *n.f.* cost
costus, *a.* dear, costly, expensive
crafu, *v.* to scratch
craff, *a.* keen; observant
crand (crandiach, crandia), *a.* grand
credu, *v.* to believe
creulon, *a.* cruel
croen (crwyn), *n.m.* skin; rind
croes, *a.* cross, contrary
tynnu'n groes i'w gilydd, to be at cross purposes
croesawu, *v.* to welcome
croesi, *v.* to cross
croeso, *n.m.* welcome
crogi, *v.* to hang
crwn, *a.* round
y byd yn grwn, the whole (round) world
crydd (-ion), *n.m.* cobbler, shoemaker
cryf, *a.* strong
crynu, *v.* to tremble, to shake
crys (-au), *n.m.* shirt
cuddio, *v.* to hide, to conceal
cul, *a.* narrow
curo, *v.* to beat, to strike, to knock
cusan (-au), *n.f.* kiss
cwbl, *a. & n.m.* all, whole, total
o gwbl, at all
cwm (cymoedd), *n.m.* valley
cwmni (cwmnïau), *n.m.* company
cwmpas *as in* **o gwmpas,** around
cwmwl (cymylau), *n.m.* cloud
cwnstabl (-iaid), *n.m.* constable
cwrdd (â, ag), *v.* to meet
cwsg, *n.m.* sleep
cwsmer (-iaid), *n.m.* customer
cwta, *a.* short; curt
cwymp, *n.m.* fall
cwyno, *v.* to complain
cychwyn, *v.* to start, to set off (out)
cydio (yn, mewn), *v.* to take hold (of), to grasp
cydwybod, *n.f.* conscience
cyfaill (cyfeillion), *n.m.* friend
cyfarfod, *v.* to meet
cyfarfod (-ydd), *n.m.* meeting
cyfer *as in* **ar gyfer,** for, for the purpose of
cyfle, *n.m.* chance, opportunity
cyflog (-au), *n.m.* wage, wages, pay
cyflwyno, *v.* to present
cyfoethog, *a.* rich, wealthy
cyfrif, *v.* to count, to reckon
cyfrif (-on), *n.m.* account
cyfrifol, *a.* responsible
cyfrwys, *a.* cunning
cyffredin, *a.* common, general
cyffwrdd, *v.* to touch
cynghorwr (-wyr), *n.m.* councillor
cyngor (cynghorau), *n.m.* council
cyngor y dref, the town council
cymaint, *a.* as big, as many; so big, so many
cymaint o ddynion, so many men
cymeriad (-au), *n.m.* character; reputation
cymharu, *v.* to compare
cymorth, *n.m.* help, assistance

cymryd, *v.* to take, to accept
  cymryd arno, to pretend
cymwynas (-au), *n.f.* kindness, favour; good turn
  y gymwynas ola, the last respects
cymydog (cymdogion), *n.m.* neighbour
cymysg, *a.* mixed
cynffon (-nau), *n.f.* tail
cynhesu, *v.* to warm
cynilo, *v.* to save, to economise
cynllun (-iau), *n.m.* plan, scheme
cynnau, *v.* to light, to kindle
cynnil, *a.* sparing, economical
cynnig, *v.* to offer; to propose
cynnig (cynigion), *n.m.* offer; proposition
cynulleidfa (-oedd), *n.f.* congregation, audience
cyrraedd, *v.* to reach, to arrive
cystadleuaeth (cystadleuthau), *n.f.* competition
cystadlu, *v.* to compete
cystal, *a.* as good, so good; so well
  cystal i ti fynd, you may as well go
cysur (-on), *n.m.* comfort, consolation
cysuro, *v.* to comfort
cytuno, *v.* to agree
cyw (-ion), *n.m.* chick; cub
  cyw canwr, cub singer, sprig of a singer
cywilydd, *n.m.* shame
cywir, *a,* correct, accurate, true

CH

chwaer (chwiorydd), *n.f.* sister
chwaith, *adv.* either (neither)
chwarel (-i), *n.f.* quarry
chwarelwr (-wyr), *n.m.* quarryman
chwifio, *v.* to wave
chwilio (am), *v.* to look (for), to search (for)
chwinc, *n.m.* wink
chwys, *n.m.* sweat, perspiration
chwysu, *v.* to sweat, to perspire
chwythu, *v.* to blow

D

daear, *n.f.* earth; ground
dagrau, *n.pl.* (*s.m.* **deigryn),** tears
dail, *n.pl.* (*s.f..* **deilen),** leaves
dal, *v.* to catch; to hold; to continue
  dal ati, to persevere
dall, *a.* blind
damwain (damweiniau), *n.f.* accident
  drwy ddamwain, by chance
danfon, *v.* to send
darn (-au), *n.m.* piece, fragment, part
  darn arian, coin
darparu, *v.* to provide
datod, *v.* to undo, to untie
deall, *v.* to understand
dechrau, *n.m.* beginning
dechrau, *v.* to begin, to commence
defnyddio, *v.* to use
deffro, *v.* to wake
deigryn (dagrau), *n.m.* tear
deilen (dail), *n.f.* leaf
delio (â, ag), *v.* to deal (with)
delw (-au), *n.f.* image; idol; statue
derbyn, *v.* to receive; to accept
derbyniad, *n.m.* reception
derbyniadau, *n.pl.* receipts
deugain, *a.* forty
dewis, *n.m.* choice
dewis, *v.* to choose, to select
dewr, *a.* brave
diafol (-iaid), *n.m.* devil
dial, v. to avenge, to have revenge
dianc, *v.* to escape
diawl (-iaid), *n.m.* devil
di-bwynt, *a.* pointless
didaro, *a.* cool, unconcerned
diddordeb (-au), *n.m.* interest
diddorol, *a.* interesting
dierth, *a.* strange
  gŵr (dyn) dierth, stranger
diferyn (diferion), *n.m.* drop
diflannu, *v.* to disappear
diflas, *a.* wearisome; miserable
diffodd, *v.* to extinguish
dig, *a.* angry
digalon, *a.* dejected, disheartened, sad
digalonni, *v.* to lose heart; to despair
digon, *n.m.* enough
digrif, *a.* comic, funny
digwydd, *v.* to happen
digwyddiad (-au), *n.m.* happening, event
dilyn, *v.* to follow
dillad (-au), *n.pl.* clothes; clothing
dimai (dimeiau), *n.f.* halfpenny
diod (-ydd), *n.f.* drink, beverage

diogel, *a.* safe, secure
diolchgar, *a.* thankful
disglair, *a.* bright, brilliant
disgleirio, *v.* to shine, to glitter
disgrifio, *v.* to describe
disgwyl, *v.* to expect; to await
disgwylgar, *a.* expectant
disgyn, *v.* to descend, to fall
distaw, *a.* silent, quiet
distawrwydd, *n.m.* silence
di-waith, *a.* unemployed
diwetha, *a.* last
diwedd, *n.m.* end, conclusion
  o'r diwedd, at last
diweddar, *a.* late
di-werth, *a.* worthless
diwrnod (-au), *n.m.* day
dogfen (-nau), *n.f.* document
doniol, *a.* funny, comic
dosbarth (-iadau), *n.m.* class, district
draig (dreigiau), *n.f.* dragon
drôr, *n.m.* drawer
dros, *pr.* over; for
  dros ben, exceedingly; over, left
drosodd, *adv.* over
drud, *a.* costly, dear
drwodd, *adv.* through
drwg, *a.* bad, evil
drwg (drygau), *n.m.* harm; evil, hurt
drwy, *pr.* through; by
drysu, *v.* to confuse; to be confused
duw (-iau), *n.m.* god
dwfn, *a.* deep
dwrn (dyrnau), *n.m.* fist
dwylo, *n.pl.* hands
dwyn, *v.* to steal; to bear, to carry
dwywaith, *adv.* twice
dychryn, *v.* to frighten
dychryn, *n.m.* fright, terror
dychymyg, *n.m.* imagination
dyddiad (-au), *n.m.* date
dyfodol, *a.* future
dyfodol, *n.m.* future
dylanwad (-au), *n.m.* influence
dylanwadu, *v.* to influence
dyled (-ion), *n.f.* debt; obligation
dymuno, *v.* to wish, to desire
dynes, *n.f.* woman

E

efallai, *adv.* perhaps
effaith (effeithiau), *n.f.* effect
egluro, *v.* to explain
eglwys (-i), *n.f.* church
enghraifft (enghreifftiau), *n.f.* example
eiliad (eiliadau), *n.f.* second (of time)
eilio, *v.* to second
eira, *n.m.* snow
eisiau, *n.m.* want; need
eisiau, *v.* to want, to need
eleni, *adv.* this year
elw, *n.m.* profit; gain
emyn (-au), *n.m.* hymn
enfawr, *a.* huge, immense
ennill, *v.* to win; to gain, to earn
ennill, *n.m.* gain, profit
enwedig, *a.* special
  yn enwedig, especially, particularly
enwi, *v.* to name
enwog, *a.* famous, renowned, noted
er, *pr.* for, in order to; since; in spite of
er, *c.* although, though
  er mwyn, for, for the sake of
eraill, *pn. pl.* other(s)
erbyn, *pr.* against; by (by the time)
  erbyn hyn, by now, by this time
ergyd (-ion), *n.f.* blow, stroke; shot
erioed, *adv.* ever
ers, *pr.* since
  ers blynyddoedd, for years
estyn, *v.* to extend, to reach; to stretch
eto, *adv.* again; yet
ewyllys (-iau), *n.f.* will

F

faint, how much, how many
fel, *adv., c. & pr.,* so, as, that, thus, like; how
felly, *adv.* so, therefore, thus
fersiwn, *n.f.* version

FF

ffaith (ffeithiau), *n.f.* fact
ffals, *a.* false
ffasiwn (ffasiynau), *n.m.* fashion
ffasiynol, *a.* fashionable
ffatri (-ïoedd), *n.f.* factory
ffau (ffeuau), *n.f.* den
ffawd, *n.f.* fate, fortune
ffigur (-au), *n.f.* figure

fflach (-iau), *n.f.* flash
fflachio, *v.* to flash
fflam (-au), *n.f.* flame
ffôl, *a.* foolish, silly
ffolineb, *n.m.* foolishness, folly
ffon (ffyn), *n.f.* stick, staff
ffordd (ffyrdd), *n.f.* way, road
  o bell ffordd, by a long way
  faint o ffordd, how far
fforddio, *v.* to afford
ffortiwn, *n.f.* fortune
ffrwyth (-au), *n.m.* fruit
ffŵl (ffyliaid), *n.m.* fool
ffwlbart, *n.m.* polecat
ffwrn (ffyrnau), *n.f.* oven, furnace
ffyddlon, *a.* faithful

G

gadael, *v.* to leave; to allow, to let
gafael (yn, mewn), *v.* to hold, to grasp
gair (geiriau), *n.m.* word, saying
gallu, *v.* to be able
gallu (-oedd), *n.m.* ability, power
gartref, *adv.* at home
garw, *a.* rough, coarse; harsh
gelyn (-ion), *n.m.* enemy
gên (genau), *n.f.* chin, jaw
gerllaw, *adv.* at hand, nearby
glân, *a.* clean
glaswellt, *n.pl.* grass (*s.m.* **glaswelltyn)**
gobaith (gobeithion), *n.m.* hope
gobeithio, *v.* to hope (I hope)
gobeithiol, *a.* hopeful
gofal (-on), *n.m.* care
gofalu (am), *v.* to look (after), to mind; to care
gofid (-iau), *n.m.* grief, sorrow
goleuni, *n.m.* light
golwg, *n.m.* sight; look; appearance
  o'r golwg, out of sight
  yn y golwg, in sight
  mewn golwg, in view, in mind
  i bob golwg, to all appearances
gollwng, *v.* to drop; to let go; to give way (to leak)
gonest, *a.* honest
gorau, *a.* best
  rhoi'r gorau i, to give up
  gorau glas, level best
gorffen, *v.* to finish, to conclude
gorffwys, *v.* to rest
gormod, *n.m.* too much, excess
gorsedd (-au), *n.f.* throne
gorwedd, *v.* to lie (down)
gosod, *v.* to place, to set
graen, *n.m.* grain, gloss
griddfan, *v.* to groan, to moan
gris (-iau), *n.m.* step, stair
gwaed, *n.m.* blood
gwaedd, *n.f.* shout
gwael, *a.* poor; ill; bad
gwaelod (-ion), *n.m.* bottom
gwaeth, *a.* worse
gwaetha, *a.* worst
gwag, *a.* empty
gwahanol, *a.* different
gwaith (gweithiau), *n.m.* work
gwaith (gweithiau), *n.f.* time
  weithiau, sometimes
  yr ail waith, the second time
gwallt, *n.m.* hair
gwan, *a.* weak, feeble
gwarant, *n.m.* warrant, guarantee
gwarantu, *v.* to warrant, to guarantee
gwario, *v.* to spend
gwas (gweision), *n.m.* servant, lad
gwasgu, *v.* to squeeze
gwastad, *a.* flat; level
gwastraffu, *v.* to waste
gwawdus, *a.* sarcastic, mocking
gwawr, *n.f.* dawn
gwddw (gyddfau), *n.m.* neck
gweddi (gweddïau), *n.f.* prayer
gwefus (-au), *n.f.* lip
gweiddi, *v.* to shout
gweithio, *v.* to work
gweithiwr (gweithwyr), *n.m.* worker
gweithred (-oedd), *n.f.* deed; act
gweithredu, *v.* to operate, to act
gweledigaeth (-au), *n.f.* vision
gwell, *a.* better
  faint gwell, how much better, what's the good
gwella, *v.* to mend, to get better, to improve
gwên (gwenau), *n.f.* smile
gwenu, *v.* to smile
gwerth (-oedd), *n.m.* worth, value
  ar werth, for sale
gwerthfawr, *a.* valuable, precious
gwesty (gwestai), *n.m.* hotel, inn
gwin (-oedd), *n.m.* wine
gwir, *a.* true, **yn wir,** indeed
gwir, *n.m.* truth
gwisg (-oedd), *n.f.* dress, garment
gwisgo, *v.* to dress
gwlad (gwledydd), *n.f.* country, countryside
  cefn gwlad, countryside

gwledd (-au), *n.f.* feast
gwlyb, *a.* wet, damp
gwlychu, *v.* to wet; to get wet
gwn (gynnau), *n.m.* gun
gŵr (gwŷr), *n.m.* man; husband
gwrach (-od), *n.f.* witch, hag
gwraig (gwragedd), *n.f.* woman; wife
gwrthod, *v.* to refuse, to reject
gwthio, *v.* to push, to shove
gwybodaeth (-au), *n.f.* knowledge, information
gwydr (-au), *n.m.* glass
gwydryn (gwydrau), *n.m.* drinking glass
gwydraid, *n.m.* glassful
gŵyl (gwyliau), *n.f.* holiday, festival
gwylio, *v.* to watch
gwyllt, *a.* wild; mad
gwynt (-oedd), *n.m.* wind
gwyrth (-iau), *n.f.* miracle
gyrrwr (gyrwyr), *n.m.* driver

H

hamdden, *n.m.* leisure
hamddenol, *a.* leisurely
hanes (-ion), *n.m.* history, story, account
hawdd, *a.* easy
haul (heuliau), *n.m.* sun
heb, *pr.* without
  heb sôn am, not to mention
  heb eu talu, unpaid
heblaw, *pr.* besides
hedfan, *v.* to fly
heddlu (-oedd), *n.m.* police force
heddwch, *n.m.* peace
heibio, *adv.* past
helbul (-on), *n.m.* trouble
helynt (-ion), *n.f.* trouble, bother
heno, *adv.* tonight
heol (-ydd), *n.f.* road
hithau, *pnf.* she (also)
hoelen (hoelion), *n.f.* nail
hoff, *a.* favourite; fond
hoffi, *v.* to like, to love
holi, *v.* to question, to ask; to inquire
holl, *a.* all, whole
hollti, *v.* to split
hongian, *v.* to hang
honno, *pn. f.* that one
hufen iâ, *n.m.* ice-cream
hunllef, *n.f.* nightmare
hwnt, *adv.* away, yonder, beyond
  y tu hwnt, beyond
  hwnt ac yma, here and there
hwyl (-iau), *n.f.* humour (mood); fun
hwyr, *n.m.* evening
hwyr, *a.* late
hwythau, *pr.pl.* they, them
hyd, *pr.* until, till; to
  hyd yma, up till now
  hyd yn oed, even
hyd (-oedd), *n.m.* length
  ar hyd, along; throughout
  o hyd, always; all the time; still
hyfryd, *a.* pleasant, delightful
hyll, *a.* ugly
hynach, *a.* older
hysbyseb (-ion), *n.f.* advertisement
hysbysebu, v. to advertise

I

iach, *a.* healthy; well
iaith (ieithoedd), *n.f.* language
iâr (ieir), *n.f.* hen
iawn, *a.* right, proper; correct
iawn, *adv.* very
iechyd, *n.m.* health
ifanc, *a.* young
ing (-oedd), *n.m.* agony, anguish
isel (is, isa), *a.* low
isod, *adv.* below, beneath

L

lapio, *v.* to wrap; to lap
lefel, *n.f.* level
losin, *n.m.* sweet (confectionery)

LL

lladd, *v.* to kill
llafur, *n.m.* work, labour
llai, *a.* less, smaller
  neb llai na, none other than
  pam lai? why not?
llais (lleisiau), *n.m.* voice
llall (lleill), *pn.* other, another
llanc (-iau), *n.m.* youth, lad
llanw, *v.* to fill
llawen, *a.* merry, glad, cheerful
llawenydd, *n.m.* joy, gladness
llawes (llewys), *n.f.* sleeve
llawn, *a.* full

llawr (lloriau), *n.m.* floor, ground
lle (-oedd), *n.m.* place
yn lle, instead of
lle, *adv.* where
lleidr (lladron), *n.m.* thief, robber
lleia, *a.* least, smallest
o leia, at least
llestri, *n.pl.* dishes; crockery
llestr, *n.m.* dish; vessel
llety (-au), *n.m.* lodging(s)
lleuad (-au), *n.f.* moon
llewes (-au), *n.f.* lioness
llifo, *v.* to flow
llinyn (-nau), *n.m.* line, string
cael dau ben llinyn ynghyd, to make ends meet
llithro, *v.* to slip, to slide
lliw (-iau), *n.m.* colour, hue
llofft (-ydd), *n.f.* bedroom, upstairs, loft
llon, *a.* merry, glad
llonydd, *a.* still, quiet
llosgi, *v.* to burn
lludw, *n.m.* ashes
dyn y lludw, ashman
llun (-iau), *n.m.* picture; form, shape
llusgo, *v.* to drag
llwch, *n.m.* dust
tynnu llwch, to dust
llwy (-au), *n.f.* spoon
llwybr (-au), *n.m.* path; track
llwyddiannus, *a.* successful
llwyddiant, *n.m.* success
llwyddo, *v.* to succeed, to prosper
llwyfan (-nau), *n.m.* stage, platform
llwyn (-i), *n.m.* bush, grove
llwynog (-od), *n.m,* fox
llwyr, *a.* complete
llydan, *a.* wide
llygadu, *v.* to eye
llyncu, *v.* to swallow
llythyr (-au), *n.m.* letter
llythyren (llythrennau), *n.f.* letter (symbol)

M

mab (meibion), *n.m.* son; boy; man; male
maddau (i), *v.* to forgive
maddeuant, *n.m.* forgiveness
main, *a.* thin, slim, slender, skinny
maint, *n.m.* size
man (-nau), *n.m.f.* place; spot
yn y man, soon
maneg (menig), *n.f.* glove
mantais (manteision), *n.f.* advantage
marchnad (-oedd), *n.f.* market
marw, *v.* to die
wedi marw, dead
mater (-ion), *n.m.* matter
math (-au), *n.m.* kind, sort
mechnïaeth, *n.f.* guarantee, surety
meddwl, *v.* to think; to mean
meddwl (meddyliau), *n.m.* mind; thought; meaning
mêl, *n.m.* honey
melys, *a.* sweet
melodaidd, *a.* melodious
menter, *n.f.* venture
mentro, *v.* to venture; to hazard
mesur, *v.* to measure
mesuriad (-au), *n.m.* measurement
methdalwr (-wyr), *n.m.* bankrupt
methu, *v.* to miss; to fail
mil (-oedd), *n.f.* thousand
milwr (milwyr), *n.m.* soldier
milltir (-oedd), *n.f.* mile
mis (-oedd), *n.m.* month
moch, *n.pl.* (*s.m.* **mochyn),** pigs
traed moch, higgledy-piggledy, a mess
modryb (-edd), *n.f.* aunt
morwyn (morynion), *n.f.* maid
mwg, *n.m.* smoke
mwy, *a.* more, bigger
mwynhau, *v.* to enjoy
myn, *pr.* by (swearing)
myn fy ffon hoci, by my hockey stick
mynnu, *v.* to insist; to wish
mynwent (-ydd), *n.f.* graveyard, cemetery

N

nabod, *v.* to know
naturiol, *a.* natural
neb, *n.m.* any one; no one
nef (-oedd), *n.f.* heaven
neges (-au), *n.f.* message; errand
neithiwr, *adv.* last night
nerf (-au), *n.f.* nerve
nerfus, *a.* nervous, timorous
nerth (-oedd), *n.m.* strength, power
nes, *a.* nearer
nes, *adv.* until, till
neuadd (-au), *n.f.* hall
newid, *n.m.* change
newid, *v.* to change; to alter

nifer (-oedd), *n.m.* number
ninnau, *pn.pl.* we (also), us
nith (-oedd), *n.f.* niece
niwl (-oedd), *n.f.* mist, haze
nwy (-on), *n.m.* gas

O

o, *pr.* of, from, out of
  o fewn, inside, within
  o'r diwedd, at last
  o'r gorau, very well
ochr (-au), *n.f.* side
odl (-au), *n.f.* rhyme
odli, *v.* to rhyme
oed, *n.m.* age
  pymtheng mlwydd oed, fifteeen years old
oer, *a.* cold
oeri, *v.* to get cold, to make cold
ofer, *a.* wasteful, vain
  yn ofer, in vain
ofn (-au), *n.m.* fear, dread
ofni, *v.* to fear
ofnus, *a.* timid, nervous, fearful
ofnadwy, *a.* awful, terrible, dreadful
offer, *n.pl.* tools, implements
ôl (-ion), *n.m.* mark, track
ôl, *a.* back, hind **(ola,** last)
  yn ôl ac ymlaen, backwards and forwards
  yn ôl, ago, back; according to
  ar ôl, after
  y tu ôl i, behind
olwyn (-ion), *n.f.* wheel
oll, *adv.* all, wholly
  gorau oll, all the better
os, *c.* if

P

pacmon (pacmyn), *n.m.* packman
padell (-au), *n.f.* pan, bowl
  padell ffrio, frying pan
pais (peisiau), *n.f.* petticoat
palas (-au), *n.m.* palace
pam, *adv.* why
paratoi, *v.* to prepare
parsel (-i), *n.m.* parcel
peidio (â, ag), *v.* to cease (from), to stop (*See Notes on usages*)
peiriant (peiriannau), *n.m.* machine, engine
pell, ymhell, a. far
pellter, *n.m.* distance
pen (-nau), *n.m.* head, top, end
  ar ben, on top of; ended
  ar ei ben ei hun, on his own, by himself
  ymhen mis, in a month's time
  yn ei ben e, at him
  dros ben, exceedingly; over (left)
  ar ben ei digon, on top of the (her) world
pendant, *a.* definite, emphatic
penderfynol, *a.* determined, resolute
penderfynu, *a.* to decide, to determine
pennill (penillion), *n.m.* verse
pen-ôl, *n.m.* backside
pensaer (penseiri), *n.m.* architect
perchen, perchennog (perchenogion), *n.m.* owner, proprietor
personoliaeth, *n.f.* personality
perthynas (perthnasau), *n.f.* relation
pig (-au), *n.f.* beak, point
  teirbig, three-pronged
pigo, *v.* to pick, to peck; to sting
plaen, *a.* plain, clear
plannu, *v.* to plant; to plunge
plaster, *n.m.* plaster
plastro, *v.* to plaster
plentynnaidd, *a.* childish
plesio, *v.* to please
plu, *n.pl.* (*s.f.* **pluen),** feathers
plwc, *n.m.* pluck, spirit
plygu, *v.* to bend; to stoop
pocer, *n.m.* poker
poen (-au), *n.m.* pain
poeni, *v.* to pain; to worry, to trouble, to annoy
poenus, *a.* painful
poeri, *v.* to spit
poeth, *a.* hot
pont (-ydd), *n.f.* bridge
pregeth (-au), *n.f.* sermon
pregethwr (-wyr), *n.m.* preacher
preifat, *a.* private
pren (-nau), *n.m.* tree; wood, timber
presennol, *a.* present
prif, *a.* chief, principal
prifysgol (-ion), *n.f.* university
priodi, *v.* to marry
pris (-iau), *n.m.* price, value
procio, *v.* to poke; to prod
profiad (-au), *n.m.* experience

pryd (-iau), *n.m.* time; season
  ar y pryd, at the time
  mewn pryd, in time
pryd (-au), *n.m.* meal
  pryd o dafod, meal of tongue (pie)
pryd, *adv.* when, while
  ers pryd, since when
prydferth, *a.* beautiful, handsome
prynhawn (-iau), *n.m.* afternoon
prynu, *v.* to buy
prysur, *a.* busy
prysurdeb, *n.m.* busyness, haste
prysuro, *v.* to hurry, to hasten
punt (punnoedd), *n.f.* pound, £
pŵer (-au), *n.m.* power
pwl (pyliau), *n.m.* fit, paroxysm
pwrpas (-au), *n.m.* purpose
pwrpasol, *a.* suitable; on purpose; appropriate
pwyllgor (-au), *n.m.* committee
pwyntio, *v.* to point
pwysig (pwysicach, pwysica), *a.* important
pymtheg, *a.* fifteen
pys, *n.pl.* peas

RH

rhad (rhatach, rhata), *a.* cheap; free
  yn rhad ac am ddim, free and for nothing
rhag, *pr.* from; against
rhaglen (-ni), *n.f.* programme
rhagor, *n.m.* more
rhai, *pn.* ones; *a.* some
  rhai pobl, some people
rhaid (rheidiau), *n.m.* need, necessity
rhain, *pn.pl.* these
rhamant (-au), *n.f.* romance
rhan (-nau), *n.f.* part, portion
rheol (-au), *n.f.* rule, regulation
rheoli, *v.* to rule; to control
rheolwr (rheolwyr), *n.m.* manager
rhes (-i), *n.f.* row
rhestr (-i), *n.f.* list
rhestru, *v.* to list
rheswm (rhesymau), *n.m.* reason
rhew, *n.m.* frost, ice
rhewgell (-oedd), *n.f.* icebox, refrigerator
rhewi, *v.* to freeze
rhieni, *n.pl.* parents
rhif (-au), *n.m.* number, numeral
rhoi, *v.* to put; to give
rhuthro, *v.* to rush
rhwbio, *v.* to rub
rhwystr (-au), *n.m.* obstacle, hindrance
rhwystro, *v.* to obstruct, to hinder, to prevent
rhy, *adv.* too
rhydd, *a.* free
rhyfedd, *a.* strange
rhyw, *a.* some; certain
rhywbeth, *n.m.* something
rhywle, *adv.* somewhere, anywhere
rhywsut, *adv.* somehow
rhywun, *n.m.* someone, anyone
rhywbryd, *adv.* sometime

S

saethu, *v.* to shoot
sâl, *a.* ill; poor
sanctaidd, *a.* holy
sbectol, *n.f.* spectacles
sbel, *n.f.* time (short)
sebon, *n.m.* soap
sedd (-au, -i), *n.f.* seat; pew
sef, *c.* that is; namely
segur, *a.* idle
seremoni (-ïau), *n.f.* ceremony
sêt (seti), *n.f.* seat, pew
sgrechian, *v.* to scream, to shriek
sgrîn, *n.f.* screen
sgwrs (sgyrsiau), *n.f.* chat, discourse, conversation
sgwrsio, *v.* to chat, to converse
siamber, *n.f.* chamber
  siamber fasnach, chamber of commerce
siantio, *v.* to chant
siapus, *a.* shapely
siawns, *n.f.* chance
sicrwydd, *n.m.* certainty
  i sicrwydd, for certain
sidan (-au), *n.m.* silk
siglo, *v.* to shake
silff (-oedd), *n.f.* shelf
sillafu, *v.* to spell
sioe (-au), *n.f.* show
siom, *n.f.* disappointment
siomedig, *a.* disappointed; disappointing
siomi, *v.* to disappoint
sionc, *a.* nimble, active, brisk
sipian, *v.* to sip
sir (-oedd), *n.f.* county
siriol, *a.* cheerful
smala, *a.* droll, witty

smwddio, *v.* to iron
solet, *a.* solid, firm
sôn, *v.* to talk; to mention
sôn, *n.m.* mention; rumour
  dim sôn, no sign
sownd, *a.* sound, firm, stuck, fixed
staffio, *v.* to staff
stwffio, *v.* to stuff
suddo, *v.* to sink
sur, *a.* sour
swil, *a.* shy, bashful
swm (symiau), *n.m.* sum; amount
sŵn, *n.m.* noise
  cadw sŵn, to make a noise
swnio, *v.* to sound
swydd (-i), *n.f.* office, post
swyddfa (swyddfeydd), *n.f.* office (place)
swyddog (-ion), *n.m.* officer, official
swynol, *a.* charming, fascinating
sych, *a.* dry
syched, *n.m.* thirst
sychu, *v.* to dry; to wipe
sylw (-adau), *n.m.* observation, notice; attention
sylwi, *v.* to notice, to note
sylweddoli, *v.* to realise
syml, *a.* simple
symud, *v.* to move, to remove
syn, *a.* amazed; surprised
syndod, *n.m.* surprise, amazement
syniad (-au), *n.m.* idea
synnu, *v.* to wonder; to be surprised
syrthio, *v.* to fall
syth, *a.* straight; stiff
sythu, *v.* to stiffen; to straighten

T

taclus, *a.* neat, tidy
taeog (-ion), *n.m.* churl, villein
tafarn (-au), *n.f.* inn, pub, tavern
taflu, *v.* to throw
tafod (-au), *n.m.* tongue
taith (teithiau), *n.f.* journey, voyage
tal, *a.* tall
tâl, *n.m.* pay, wage(s)
taliad (-au), *n.m.* payment
talcen (-nau), *n.m.* forehead
talu, *v.* to pay
tamaid (tameidiau), *n.m.* morsel, bit
tan, *pr.* until
taro, *v.* to strike, to hit
tasg (-au), *n.f.* task
tawelu, *v.* to calm, to quieten
tawelwch, *n.m.* calm, quiet
tebyg, *a.* similar; like
teg, *a.* fair
teimlad (-au), *n.m.* feeling, emotion
teimlo, *v.* to feel
  teimlo dros, to feel for
teirbig, *a.* three-pronged
teledu, *n.m.* television
temtio, *v.* to tempt
tenau, *a.* thin
teulu (-oedd), *n.m.* family
tewi, *v.* to be silent
tin (-au), *n.f.* backside, rump
tipyn, *n.m.* bit, a little
tithau, *p.n.* thou
tlawd, *a.* poor
ton (-nau), *n.f.* wave
tôn (tonau), *n.f.* tune, tone
torri, *v.* to break; to cut
tra, *c.* while, whilst
trafod, *v.* to discuss; to transact
trafferth (-ion), *n.m.* trouble
tranc, *n.m.* death; end
traws, *a.* cross
  ar draws, across
trefn, *n.f.* order; method; system
trefnu, *v.* to arrange; to organize
treio, *v.* to try
treulio, *v.* to spend (time); to wear (out)
trigain, *a.* sixty
trist, *a.* sad, sorrowful
tro (troeon), *n.m.* turn, twist
  un ar y tro, one at a time
  pawb yn ei dro, each in his turn
  y tro cynta, the first time
  am y tro, for the time (being)
troi, *v.* to turn, to twist
trosi, *v.* to turn, to twist
  troi a throsi, to turn and twist
trowsus-sanau, *n.m.* tights
truan, *n.m.* wretch
truan, *a.* wretched, miserable, poor
  druan ohono fe, poor fellow (wretch)
trwm, *a.* heavy
trysor (-au), *n.m.* treasure
tudalen (-nau), *n.m.* page
twb, twba (tybau), *n.m.* tub
twll (tyllau), *n.m.* hole
  twll yn y foch, dimple
twp, *a.* stupid
twt, *a.* neat, tidy
twt! *i.* tut!
tybed, *adv.* I wonder (*See Notes for usages*)

tyfu, *v.* to grow
tymer (tymherau), *n.f.* temper, temperament
tymor (tymhorau), *n.m.* season
tyner, *a.* tender, gentle
tyn(n) (tynnach, tynna), *a.* tight
tynnu, *v.* to pull, to draw
tyrfa (-oedd), *n.f.* crowd
tywyll, *a.* dark
tywyllu, *v.* to darken
tywyllwch, *n.m.* darkness

U

uchel (uwch, ucha), *a.* high, lofty, tall
uffern, *n.f.* hell
ugain (ugeiniau), *a.* twenty, score
un, *a.* one; any; same
  yn unlle, in any place
  yr un lle, the same place
unig, *a.* only, sole; lonely
union, *a.* straight; exact
unrhyw, *a.* any
Yr Urdd, The Welsh League of Youth
uwchben, uwchlaw, *pr.* above

W

weithiau, *adv.* sometimes
wylo, *v.* to weep
wynebu, *v.* to face
ŵyr (wyrion), *n.m.* grandchild, grandson
wyres (-au), *n.f.* grand-daughter

Y

ychydig, *a.* & *n.m.* few, a little
yfed, *v.* to drink
yfory, *adv.* tomorrow
ynglŷn â (ag), *adv.* in connection with
ymarfer, *v.* to practise, to rehearse
ymarfer, *n.m.* practice
ymdrech (-ion), *n.f.* effort, endeavour
ymddangos, v. to appear
ymhen, *pr.* in
  ymhen awr, in an hour('s time)
ymholiad (-au), *n.m.* enquiry
ymladd, *v.* to fight
ymlaen, *adv.* forward, onward
ymweld (â, ag), *v.* to visit
ymweliad (-au), *n.m.* visit
ymyl (-on), *n.m.* edge, border
  wrth ymyl, by the side of, near
ymysg, *pr.* among, amid
yntau, *pr. m.* he, him
ysbyty (ysbytai), *n.m.* hospital
ysgafn, *a.* light
ysgwyd, *v.* to shake
  ysgwyd llaw, to shake hands
ysgwydd (-au), *n.f.* shoulder
ystod *as in* **yn ystod,** during